Noël

cadeau

formidable

Un pas d'homme

Entre la seconde où Serge, abruptement, dit : « Il faut que je parte » et l'instant où Manuela ayant murmuré : « Fais vite », il exécute la sentence — cette sorte de mise à mort du couple qu'est une rupture — combien de temps s'écoule-t-il ? Quelques minutes, des années, une éternité...

L'univers de Marie Susini est profondément tragique. Et nous assistons dans *Un pas d'homme* à une poursuite immobile, à un frénétique affrontement où, comme dans une danse sacrée, les rôles sont distribués une fois pour toutes.

Parce que c'était lui, parce que c'était elle, indispensables l'un à l'autre, Serge et Manuela sont seuls à connaître les règles de ce jeu où, à l'exigence inhumaine de Manuela, ne peut répondre que l'humanité, la compréhension de Serge, qui par là même se voit contraint à incarner les jeux médiocres du relatif.

En même temps inutiles et dépassés, ils sont tous deux le lieu *accidentel* de cette rage de connaître et de posséder, de chercher dans l'autre la réalisation de cette promesse impossible de *réconciliation* qu'on appelle l'amour.

Née en Corse, Marie Susini a fait à Paris de solides études universitaires : licences de philosophie et de lettres classiques, diplôme d'études supérieures sur Bergson et sur la philosophie indienne. Elle a également suivi les cours de l'Ecole du Louvre, de l'Ecole pratique des hautes études et du Collège de France et se montre une fervente d'art contemporain.

Marie Susini est membre du jury du prix Femina depuis 1971 et membre de l'académie européenne des Sciences humaines (1980).

Du même auteur

Plein Soleil
roman
Le Seuil et le Livre de poche

La Fiera
roman
Le Seuil et le Livre de poche

Corvara
théâtre
(pièce représentée à Paris au Théâtre de l'Œuvre)
Le Seuil

Un pas d'homme
roman
Le Seuil et coll. « Folio »

Le Premier Regard
récit
Le Seuil et le Livre de poche

Les Yeux fermés
roman
Le Seuil et le Livre de poche

C'était cela notre amour
roman
Le Seuil et coll. « Folio »

Je m'appelle Anna Livia
roman
Grasset

Marie Susini

Un pas d'homme

roman

Éditions du Seuil

TEXTE INTÉGRAL.

EN COUVERTURE : illustration Liliane Carissimi.

ISBN 2-02-005614-3.
(ISBN 1re publication : 2-02-000893-9 brochés ;
2-02-003985-0 Luxes).

Amour, amour qui parle haut sur les brisants et les coraux, laisserez-vous mesure et grâce au corps de femme trop aimante ?...

SAINT JOHN PERSE.

Il était sur le divan, à plat dos, silencieux, buté et hostile — une dune — et il y avait de la colère en lui. Cette fois, Manuela ne dit pas un mot, et même elle ne fit pas le moindre mouvement. Blottie dans le grand fauteuil, elle continua de fumer sa cigarette tranquillement.

— Il faut que je parte.

Il se tourna, la fixa de ce regard à la fois étranger et tendre qu'elle lui avait vu un jour : lorsqu'il avait retrouvé sa pipe perdue depuis longtemps.

Il faut que je parte. C'était tout ce qu'avait dit Serge. A peine y avait-il eu un peu d'émotion dans sa voix. Mais ce ne fut pas tellement à ce qu'il venait de dire qu'à ce léger frémissement de sa voix que Manuela sut qu'il la quittait. Peut-être même pas.

Peut-être était-ce en elle, la certitude fugitive et cependant profonde de ce qui va arriver avant que ce ne soit déjà là et que rien encore n'en ait trahi la présence; l'intuition aveugle, infaillible de ce qui est avant d'en avoir connaissance, alors même qu'elle ne peut s'appuyer sur rien, sinon précisément sur l'angoisse qui l'a fait naître.

Le coude sur le bras du fauteuil, les jambes repliées comme à son habitude, ses yeux attachés à Serge qui, étendu sur le dos, fixait le plafond, elle restait là, n'ayant pas fait le plus léger mouvement. Elle était sans frayeur et même sans surprise. Depuis longtemps elle s'attendait à ce départ. Depuis un certain soir... Depuis toujours, peut-être. Serge était entré dans sa vie comme le hasard, elle savait bien qu'il en partirait de même. Elle était simplement étonnée que ça ait pu durer si longtemps. Des années. Etonnée de ne pas souffrir alors que cette rupture, elle l'avait souvent vécue.

Chaque matin, quand Serge quittait l'appartement, elle, immobile et comme figée dans l'embrasure de la porte, le regardait descendre l'escalier, et sa vie s'échappait avec lui. La journée était biffée jusqu'au moment où elle reconnaissait son pas sur le palier, la clé dans la serrure ; elle se précipitait dans l'entrée avec le désir de crier : Serge ! Tout revenait à elle sauvagement, elle s'affairait, elle aurait voulu lui donner plus, plus encore. De ne rien trouver dans sa tête vidée par l'absence, dans cette journée où il n'y avait eu que le manque et l'attente, elle se sentait pauvre, triste et venait s'asseoir sur le divan près de lui, émue et reconnaissante. Et alors, chaque fois, elle remerciait du fond du cœur la Vierge de Las Cruces, exactement comme si c'était une grâce toujours renouvelée d'avoir Serge là, tout près, et de n'être pas seule, et elle se disait comme la veille encore :

— C'est bon d'avoir un compagnon.

Oui, elle avait vécu si souvent ce départ que lorsqu'il survint, ce matin-là, elle fut sans désespoir et sans mots. Et même, elle l'accueillit avec une espèce de soulagement. Le pire était enfin là.

Serge s'étonnait du silence. Et du calme de Manuela.

Avait-elle bien compris ? Il n'y avait aucune terreur sur son visage et ses yeux n'exprimaient qu'une innocente et douce résignation. Il avait occupé la vie de Manuela un moment. Il pouvait partir désormais. Elle ne s'y opposait pas. Et même, c'était exactement comme si ce départ l'arrangeait. Oui, tout se passait de façon trop calme, trop simple, facile. Comme si cette rupture l'arrangeait. Si bien que Serge devait avoir l'impression de ne rien bouleverser, et peut-être même de n'avoir, en somme, jamais rien bouleversé.

— Je pars, répéta-t-il.

Il l'avait souvent blessée et humiliée, mais jamais il n'avait dit qu'il partirait. Non, jamais cela. Et pourtant, il devait se dire souvent : « Un jour, je m'en irai. » Il la regardait alors à la dérobée, ne pouvant supporter longtemps une souffrance qu'il avait pourtant parachevée. Un enfant qui aurait peur d'un papillon qu'il a fiché lui-même. « Un jour, je m'en irai, je la quitterai. » Il devait se le répéter, sans arriver à se défaire du sentiment qu'il avait d'être à la fois puissant et dénudé. Et il y avait alors de la colère en lui. La même colère que lorsqu'il lui arrivait en société de porter un intense intérêt à une personne qui l'ignorait totalement. « Je la laisserai là, c'est sûr. » Il se le répétait, mécontent de lui, mécontent d'elle, sans avoir jamais trouvé le courage de partir, ni même de manifester à haute voix son arrêt. D'ordinaire, Manuela mettait alors une telle passion à venir l'arracher à son tourment, sans savoir de quoi était fait ce tourment, qu'il ne retenait plus de tout cela que le libre usage qu'il avait d'elle, et le sentiment exaltant d'avoir été magnanime.

Avait-elle bien compris qu'il s'agissait d'un vrai départ, d'une rupture ? Il avait imaginé autre chose. Pour la persuader, il avait en silence rassemblé ses forces. Tout avait été prévu, sauf ce regard de Manuela qui ne signifiait rien, et ce calme qui rendait le départ si facile.

— Je pars, répéta-t-il d'une voix sourde.

Il paraissait attendre. Avait-il pensé que Manuela marquerait ses mots d'un accent si douloureux, si parfaitement inhumain qu'il ne lui serait plus possible de revenir sur un tel désespoir ? Que dès lors, ne pouvant revenir en arrière et faire que ce qui avait été dit ne fût pas dit, il n'y aurait plus rien de décent, sinon de fuir ? De décent, et même tout simplement de possible.

— Ecoute, commença-t-il.

Il passa instinctivement ses mains sur ses yeux pour se prouver sans doute à lui-même qu'il ne rêvait pas, puis il l'observa, se demandant si c'était bien Manuela qui était là devant lui, Manuela avec qui il avait vécu des années. Elle qui, l'autre soir encore...

Est-ce qu'elle jouait ? C'était impossible. Tout se passait, et toujours, de façon si claire, si simple pour ainsi dire, en tout cas de façon régulière. Elle était incapable, totalement incapable de masquer ses sentiments. Son visage trahissait d'une manière quelconque ce qu'elle éprouvait au fond d'elle-même. Ce visage qui, dans le doute et dans les questions, se creusait ainsi que celui des gens qui agonisent. Elle avait un visage de mort, de couleur de mort, dans ces moments-là, et une espèce d'espoir tremblant vibrait dans ses yeux pourtant désespérés. Et Serge se sentait lié à ce regard de condamné qui attend la sentence, à la fois lié et voulant s'en défaire à tout prix, prisonnier, inutile.

D'un mot, il pouvait la faire et la défaire, lui donner des joies de soleil ou la rejeter dans la nuit ; il pesait sur sa vie à la façon d'un couvercle qui peut libérer ou maintenir captif, priver d'air et de lumière, et que parfois on oublie. Ce n'était pas qu'il tînt à la faire souffrir, il avait une certaine répugnance pour la souffrance, tant la sienne que celle des autres, mais c'était toujours en lui le même malaise et aussi la même ivresse pure et fascinante de la précipiter dans le vide et de pouvoir faire remonter à la surface de cet être limité et sauvage les couleurs de la vie comme sur un feu qu'on attise.

C'était chaque fois en elle, le même effort désespéré pour sortir de la solitude. Elle restait devant lui, le souffle court, le regard perdu, les lèvres pâles. « Pourquoi, disait-elle, Serge, pourquoi ? Je voudrais savoir. Je voudrais comprendre... » Comme ce soir lointain où...

Et lui, il lui en voulait à mort de la tenir là, à sa merci, quêtant un mot, humiliée, ravalée à cet état de loque aveugle qui lui donnait une force étrange dans son étrange faiblesse, cette femme qui se rendait stupidement coupable par ses questions, cette femme qu'il aurait pu vendre, jouer (comme il avait fait ce soir-là...), piétiner, jeter par la fenêtre, il lui en voulait, elle ne pouvait pas ne pas le voir, pour cet attachement obstiné, proprement incompréhensible qu'elle avait pour lui, fidèle qu'elle lui était comme un chien à son maître. Et sans doute ce qui l'irritait le plus, ce qui l'inquiétait le plus n'était pas là, mais de savoir comment Manuela, après avoir eu l'intuition juste de la vérité, s'en était laissé si facilement accroire. Un jour, il serait démasqué, il en était sûr. C'est pourquoi sans doute il avait pris la décision de la quitter. Sans même s'être rendu compte, pensa-t-elle, que ce jour-là était venu et qu'elle avait tout su, ce qu'elle voulait savoir et sans doute aussi ce qu'elle aurait voulu ne pas savoir, ce soir lointain où elle avait eu honte pour lui. Et pourtant, malgré ce qui s'était passé ce soir-là, malgré tout, elle ne pouvait s'empêcher d'attendre, d'espérer. D'espérer sans espoir.

Serge attendait. Pensait-il que Manuela voulait lui faire injure en n'étant pas, ce matin-là, ce qu'elle avait coutume d'être, précisément au moment où il venait de lui dire qu'il la quittait ? Comment expliquer autrement cette infidélité à elle-même ?

Il avait redouté cet instant, mais il savait bien aussi que, seul, le désespoir de Manuela lui donnerait la force d'être enfin un autre, celui qu'il rêvait d'être : il repartirait à zéro, persuadé que tout se ferait comme il l'avait prévu.

— Ecoute-moi... commença Serge.

— Non, répondit Manuela d'une voix calme qu'il ne lui connaissait pas.

Il pouvait rester des heures, étendu sur le divan, immobile comme la pierre.

Lorsqu'elle le voyait ainsi, inquiet et en colère, mais pourtant immobile, silencieux, toute sa raison avait beau lui dire que cette colère était contre lui-même, que ça se passait entre lui et lui, et qu'il n'avait qu'à se débrouiller seul après tout, Manuela ne comprenait jamais ce qui la poussait dans ces moments-là, ce qui la poussait avec cette violence sauvage et absurde. Et cette peur. Comme si le silence de Serge signifiait la mort. Elle n'était plus que peur et élan vers Serge, bornée à cette peur et à cet élan qu'elle ne pouvait étouffer, consciente de la souffrance qu'elle allait recevoir en retour et cependant tout à fait indifférente à cette souffrance, ayant besoin simplement, mais de façon nécessaire, impérieuse, absolue, d'entendre la voix de Serge rompre enfin le silence. Le temps, de nouveau, battait dans ses veines, et cela avant même que les paroles de Serge n'aient pris un sens, exactement comme une pendule à laquelle on rend le mouvement en lui donnant un choc.

Et lui, habitué qu'il était depuis toujours à ce que Manuela prît en charge ce qui le gênait, était libéré. Bien sûr, il avait quelque regret de cette réponse, plus blessante qu'une pierre en plein front ; et sa colère n'était pas passée, mais il en avait oublié les raisons. Cette colère s'accrochait à présent aux épaules de Manuela, ainsi qu'une loque. La misère lui allait si bien en somme, elle s'accordait si parfaitement avec son visage décharné et ses larges yeux sombres dont la couleur même avait souffert, que Serge se demandait quelquefois ce que le bonheur aurait pu faire de ces traits, de ce regard, de cette faiblesse. Et comment Manuela s'en serait parée. Il était libéré. Désormais il pouvait regarder devant lui et non plus en lui, comme toujours. Sans crainte, et même avec une certaine force. Il avait devant lui un objet. Tout était simple.

Alors, il parlait.

Et elle, se demandant avec calme pourquoi elle avait eu si peur, ne trouvait rien, aucune raison valable, réelle, solide, de même qu'elle n'aurait pu dire ce qu'elle venait exactement de prendre en charge, car Serge avait ses mots, toujours les mêmes. Il mentait. Peu importait, du reste, ce qu'il disait. L'essentiel n'était pas là. A deux dans un chemin difficile, on se passe le fardeau lorsqu'on n'en peut plus.

Elle se tenait devant lui, immobile, le regardant qui parlait, le regardant de façon à la fois intense et dure, isolée et déjà divisée par le sentiment obscur de quelque chose qui manquait et qu'il lui faudrait non seulement retrouver, mais recréer, luttant moins toutefois contre le besoin de connaître la vérité que contre la reconnaissance qu'elle ne pouvait s'empêcher d'avoir envers lui, alors même qu'elle se rendait bien compte qu'elle avait été dupe.

Aussi, lorsqu'elle voyait Serge en colère et que cette colère était pourtant retournée contre lui-même, qu'elle n'avait rien à y voir en somme, elle fonçait tête baissée dans cette impasse, et comme elle ne savait rien de l'ironie et qu'elle n'avait rien appris de l'expérience, elle fonçait avec une si parfaite naïveté, avec une si fraîche ignorance, une si sûre régularité, que, depuis longtemps, la colère de Serge était devenue un jeu. Un jeu qui avait ses règles.

Elle se pencha, tira des rayons de la bibliothèque un gros volume vert, jauni. Elle feuilleta machinalement les pages annotées de sa main. Et de la main de Jérôme. Pourquoi avait-elle ouvert ce livre, pourquoi faisait-elle revivre ce matin-là, ses années d'étudiante, ressuscitant d'un seul coup un monde fait de chaleur, d'espoir et d'amitié avec Jérôme ? Et pourquoi se souvint-elle tout particulièrement, avec autant d'intensité, en tournant ces pages qu'elle ne voyait même pas, d'une scène à laquelle depuis tant d'années elle n'avait jamais pensé ?

A la sortie de la Sorbonne, elle avait eu beau discuter du déterminisme historique, elle se surprenait elle-même sur le trottoir de la rue des Ecoles en train de compter les dalles sur lesquelles elle marchait. Plus rien n'avait alors d'importance que le chiffre sur lequel elle tomberait en arrivant au coin de la rue. Si le chiffre était impair, elle ressentait un malaise difficile à dissiper. Elle s'accrochait au bras de Jérôme de toutes ses forces. Un jour, agacé, il s'était dégagé brusquement :

— Approchez, messieurs-dames, n'ayez pas peur ! N'étudiez plus la mentalité primitive chez Durkheim ou Lévy-Bruhl. C'est fastidieux, c'est abstrait ! N'allez pas non plus dans le fin fond de l'Afrique. A quoi bon ! Elle est ici dans toute sa beauté, la mentalité prélogique ! La voilà sous les traits d'une jeune Espagnole...

Etait-ce pour faire taire Jérôme que ce grand garçon brun qui marchait avec eux — quel était donc son nom ? elle ne s'en souvenait pas — l'avait attirée avec violence et l'avait embrassée dans le cou ?

— Tu es belle, tu es plus belle que la plus belle des négresses, le sais-tu, ô Manuela ?

Puis, il les avait quittés boulevard Saint-Michel en chantant, sur un air à la mode :

« Le sais-tu, le sais-tu, Manuela... »

Elle avait levé vers Jérôme un regard sans

doute particulièrement abandonné. Il en avait eu des regrets :

— Dis-moi, pourquoi fais-tu des études ? Si cela ne doit te servir à rien, pourquoi ne vas-tu pas vivre à la campagne ?

Elle marchait silencieusement près de lui, butée, déçue. Un mur, disait quelquefois Jérôme.

— Réfléchis, si c'est pour te prouver à toi-même que tu peux réussir un exposé, c'est fait. Mais tu serais plus heureuse, allongée au soleil... Je te vois bien gardant des moutons... Je connais même un endroit...

Elle tournait les pages sans les voir, revivant les heures passées dans sa chambre ou dans celle de Jérôme, et les douces matinées de printemps, confiantes et paresseuses dans les jardins du Luxembourg. Et cependant elles étaient déjà grosses de terreur profonde, ces matinées, où elle ne se sentait bien que loin de la foule, dans un coin isolé avec Jérôme, toujours le même coin dont elle s'était fait un abri ; avec Jérôme qui lui était familier, sur qui elle pouvait compter, ils se comprenaient sans même se parler. Bien enfermée dans le désir intense, sauvage, que personne ne vînt la chercher.

Elle renversa la tête en arrière, ferma les yeux. Etait-ce comme cela ? Ou bien, après cette vie avec Serge, essayait-elle de retrouver Jérôme, ce même coin du Luxembourg, pour avoir enfin un moment de répit, une compagnie sûre, un peu de douceur et l'illusion que rien ne s'était passé depuis la Sorbonne, que tout était comme avant, exactement comme avant, avant qu'elle ait connu Serge ? Le ciel de nouveau ouvert, accessible.

D'un mouvement brusque, elle se pencha sur le livre, s'appliqua à lire le texte, suivant les lignes avec le doigt ainsi que quelqu'un qui aurait eu la vue faible, elle cherchait une de ces évidences irréfutables qui la tirerait d'affaire, une de ces lois générales, apaisantes, qui réduisent le mal, le résorbent en prouvant qu'on est conforme à la loi, ou peut-être tout simplement la séduction d'un agencement logique auquel il est impossible de rien ajouter et de rien enlever, si parfait, si harmonieux qu'il apprivoise on ne sait quoi dans l'esprit qui tient lieu de rencontre et de communication, remplace pour un moment le lien secret, l'accord qu'on vient de perdre avec le monde.

Serge se pencha sur l'épaule de Manuela, jeta un coup d'œil sur la couverture, eut un rire forcé, surpris :

— Tu lis Kant, ce matin ?

Ça n'avait pas de sens, c'était vrai. Et dès lors que Serge allait partir, elle non plus n'avait pas de sens. Il allait la quitter, disparaître de sa vie, elle perdrait sa référence.

Plus rien n'avait de sens.

Il parlait.

Il parlait si bien que toute vérité disparaissait derrière cet artifice de mots jetés au vent. Et elle, inlassablement, avec la même passion, avec la même volonté proprement désespérée de voir clair, allait chercher à tâtons derrière ces mots tourbillonnants. Comment Serge, qui racontait ses aventures de pacotille, ne comprenait-il pas que ce n'était pas quelque chose qu'elle cherchait avec cette passion sauvage, mais quelqu'un, dans l'espoir furieux que peut-être aujourd'hui, peut-être allait enfin éclater en elle cette tranquille plénitude, cette lisse détente de tout l'être qui se retrouve quand il a trouvé un ami, cherchant avec hâte, avec rage, avec désespoir quelqu'un de perdu, perdu depuis l'enfance. Perdu avant même l'enfance.

Elle avait l'impression d'y laisser chaque fois toutes ses forces. Il faudrait que je sois intelligente, raisonnable, se disait-elle, il faudrait que je laisse les choses être ce qu'elles sont. Il faudrait feindre et ignorer.

Elle se tenait souvent des propos sur l'intelligence, mais elle suivait toujours la même pente raide et néfaste, elle fonçait droit devant elle sans rien voir, sans entendre, elle prenait des raccourcis pour tomber plus vite dans le vide, elle fonçait au-devant du danger, imprudente, sauvage, pour venir, de toutes ses forces, de toute sa violence, se briser contre un mur de vent.

Sans cesse, la raison lui montrait que cette façon de vivre était stupide, qu'ainsi elle allait à sa perte inévitablement, elle perdrait Serge dans cette impulsion à ne pouvoir se renier, dans cette résolution désespérée de ne pas mourir; une violence passionnée à être ainsi et l'impuissance totale à ne pouvoir être autrement, et par-dessus tout, une foi entière, indéracinable à penser que ce qui devait être serait, ne pouvait pas ne pas être, la poussaient à agir dans son sens, avec cette obstination nettement fermée et aveugle qu'ont les mules. Et de peur de mourir, elle n'en finissait pas de mourir. C'était également l'avis de Serge. De peur de perdre Serge, elle le perdait chaque jour un peu plus.

Enfin, le jour tant redouté était arrivé. Il était là.

— Je voudrais pourtant te dire...

Il avait tout dit, puisqu'il partait.

— Ne dis rien, dit-elle sans violence.

Il se sentit désarmé, perdu, ayant sans doute imaginé des difficultés, préparé des explications cruelles et tendres. Au lieu de quoi, il n'y avait rien.

Il la regarda, elle n'avait pas baissé les yeux, et lui, avait cette fois l'étonnement chargé d'humiliation qu'avait dû avoir autrefois ce vieux professeur au Collège de France lorsqu'il s'était retourné vers la salle vide. Envers lui, pourtant, elle n'avait pas voulu être cruelle, elle s'était trompée de salle, tombée là par hasard, seule et unique élève d'un cours de civilisation étrusque. Elle se souvenait d'avoir profité du moment où le professeur traçait des caractères hermétiques sur le tableau noir, pour s'en aller sur la pointe des pieds.

Ce souvenir soudain éclaira un moment son visage d'une légère ironie. Serge surprit cette ironie fugitive, et il se sentit seul. Il se leva, regarda autour de lui d'un air égaré comme s'il n'arrivait pas à trouver une place, et se laissa tomber sur le divan.

De nouveau, il l'observait. De nouveau, il attendait. Il attendait qu'affleurât sur ses traits un signe de secrète douleur, il guettait cette langueur d'abandonnée qu'il avait dû lui voir si souvent, quand la vie se retirait d'elle peu à peu pour laisser apparaître un moment à vide, un moment à blanc, en suspens. Quand la vie est en quelque sorte mise en réserve.

Ou était-il occupé par ce secret désir, par

cette tentation qu'il lui avait confiée un jour : la faire apparaître, elle, Manuela, dans une lumière qu'il lui avait toujours refusée, celle de la confiance ? Manuela serait méconnaissable. Oui, plus tard, il en était certain, il aurait ce courage. Il viendrait vers elle et il lui dirait : « Tu as assez souffert. Tu peux désormais compter sur moi. Je suis un autre homme. »

Mais dans l'immense effort qu'il faisait pour se monter ce spectacle à lui-même, il se sentait bientôt réduit au rôle de rideau, s'évanouissait aussi facilement qu'un rideau de théâtre. Chassé et encore là, immobile, inutile, lié à Manuela et cependant ne pouvant plus disposer d'elle, n'étant pas plus maître d'elle, désormais, que d'une eau qui s'écoule.

— Mais, lui avait-il dit un jour, est-ce de ma faute, si tu es tout d'une pièce ?

Il pensait alors qu'il y avait comme une espèce de miracle à ce que ce bloc de marbre fût resté sans fêlures, malgré les coups, une incroyable stupidité ou une extrême inconscience à ce que ce cœur ne se fût pas à la longue un peu patiné alors qu'il avait été si souvent trempé dans la peur, ou que tout simplement il n'y ait pas eu en elle cette lassitude qui crée l'indifférence.

Et désarmé, irrité, il lui disait alors :

— Mais quand finiras-tu par t'humaniser ?

Un calme qu'elle n'avait encore jamais connu était en elle, ce matin-là, aussi inattendu, aussi gratuit et inespéré qu'une grâce, et la volonté ferme, tranquille et farouche de ne plus s'opposer ni à Serge, ni à elle-même, ni à rien. Elle avait définitivement lâché prise, et il s'agissait pour elle simplement de ne rien perdre, même pendant un court moment, de ce calme et de cette force.

Ses cheveux noirs noués très bas, les mains jointes sur les genoux, elle restait là à le regarder, tranquille, comme si c'était elle et non Serge qui venait de prendre la décision de s'en aller, sans aucune trace d'inquiétude. Tournée vers lui, elle paraissait l'écouter attentivement, infidèle, impénétrable, indifférente, comme si ce qu'il devait dire, ce qu'il allait faire désormais ne la concernait plus.

Lentement, elle tourna la tête et regarda autour d'elle. Serge aimait cette pièce et la façon dont elle l'avait meublée. Elle ne ressemblait pas à un living-room ordinaire. Le plafond bas et un peu en pente, le petit escalier sur lequel elle avait jeté un châle espagnol, les glaces vénitiennes, les opalines bleues et roses donnaient aux meubles Renaissance de la chaleur et de l'intimité. Leurs amis y retrouvaient le caractère de Manuela, ce même mélange de chaleur et d'austérité, de raideur et de raffinement, cette violence sans cesse retenue. Son regard s'attarda sur les lampes, les vases, les livres, tous ces objets qui, à présent, n'étaient plus ni à l'un ni à l'autre, tout cela qui n'avait plus de visage, plus de sens, puisque le seul sens qu'ils pouvaient avoir était précisément d'être à eux deux, de les relier.

Mais, de nouveau, elle regarda Serge. Silencieuse, elle restait à le regarder, sans douceur et sans amertume ; elle le regardait parce qu'il était là, en face d'elle. Jérôme lui avait demandé une fois quel était son type d'homme.

— Grand, les yeux brillants et les dents blanches.

C'était chez Capoulade, devant un café au lait. Il avait posé sa tasse, s'était penché vers elle :

— C'est tout ? Alors, ne cherche plus. Regarde ! C'est moi, celui que tu attends !

Jérôme. C'était un rire lumineux qui revenait dans son souvenir. Elle n'arrivait pas à voir distinctement ses traits qui semblaient fuir dans un monde inconnu où seule était vivante, secrète, la chaleur de sa présence. Une ombre, et simplement des yeux très noirs et si clairs qu'elle les aurait crus éclairés par le dedans. Une ombre. Et cependant ils avaient vécu trois ans côte à côte, partageant le travail et les joies, l'argent et les angoisses des examens, partageant tout à cet âge où se mêlent confusément la douceur fragile de l'indolence et la rage de l'impatience, dans ces matinées qu'elle aurait crues éternelles, où elle ne savait si son cœur chantait de ce qu'elle attendait et qui n'avait pas encore pris forme ou pleurait une enfance perdue pour toujours.

Le reconnaîtrait-elle, si elle venait à le rencontrer dans la rue ? Que lui dirait-elle ?

Et Serge, le reconnaîtra-t-elle ?

Il y aura quelques jours sans doute pendant lesquels elle se demandera s'il est bien vrai qu'il est parti, l'attendant comme s'il allait rentrer le soir. Avec la même fièvre, la même hâte. Puis l'attendant sans l'attendre. Puis ne l'attendant plus du tout. Un jour, l'un décide de quitter l'autre, sans raison apparente, de ne plus continuer la même route. Entre compagnons de voyage aussi, on parle, on partage l'aventure, en regardant le même paysage, on laisse un peu de soi. Mais les chemins bifurquent, et c'est fini. Avec cela qui s'effacera peu à peu aussi, cette souffrance même.

Sans raison apparente, pourtant, pensa-t-elle. La raison, quelle qu'elle fût et qu'il cachait, il ne fallait pas chercher à la connaître. Elle ne la saurait jamais. Et de toutes façons, ça n'avait pas d'importance, il est indifférent de savoir de quelle manière on en finit. De même qu'il est indifférent de savoir de quelle manière on mourra.

Elle prit une cigarette, la tourna et la retourna. Serge n'avait pas plus d'importance que cette cigarette. D'un geste vif, elle la fit rouler sur la table basse. Il fallait se débarrasser de Serge aussi facilement. Après, ce serait fini.

Non, il ne ressemblait pas au visage de son rêve. Il n'est rien, bien sûr, et pourtant, il est tout. Mais alors stupidement, brutalement, elle fut prise d'un mouvement violent, passionné, d'aller vers lui, de s'enfermer dans le cadre de cet être, de vouloir ce qu'il voulait, et à la fois dans un suprême effort, dans un désespérant effort, d'être au-delà de cet être même, de pouvoir pour lui toujours plus que ce qu'elle pouvait.

Elle mit sa tête dans ses mains. Il fallait demeurer calme. Ne plus lutter, ne plus essayer d'échapper à quoi que ce fût, même à la peur. Ce qu'elle avait craint pendant des années, perdre Serge, ce qu'elle aurait voulu éviter au prix de sa vie et qu'elle ne pouvait plus éviter, il ne fallait plus tirer cette peur en arrière de toutes ses forces, mais la laisser venir et l'épuiser une bonne fois pour toutes. Après, ce serait fini. Il fallait garder tout son calme, toute sa distance. Après ? Après, elle verrait.

Après, ce serait fini. Et plus jamais elle n'aurait à le quitter.

— Que vas-tu faire ?

— Rien.

Je n'attendrai plus, pensa-t-elle.

Des heures entières, le soir, incapable de pouvoir faire quoi que ce soit, immobile comme tout ce qui était alentour, incapable de quitter le fauteuil auquel elle était rivée, les yeux sur la pendule en face d'elle. Attendre. Parfois, elle tentait de lire, d'écouter la radio, de dessiner, mais, vides, son regard et son attention revenaient toujours sur les heures immobiles. Attendre. Elle se disait souvent : Demain, je ne l'attendrai plus, je me raisonnerai, je me ferai violence, je m'installerai dans la soirée sans l'attendre. C'était tout aussi terrible. Elle attendait alors quelque chose, elle n'aurait su dire quoi. Rien. Mais elle attendait. Le temps ne passait pas plus vite ; elle se surprenait fixant la pendule avec la même application, la même angoisse, la même hâte du cœur. C'était l'attente sans plus d'objet à attendre, l'attente pure, et elle, elle n'était plus que le reflet, le battement de ce qui faisait mal à regarder, à écouter. Elle se sentait seule, prisonnière, dans l'insécurité.

Après un silence, il reprit :

— Comment rien ?

Un pas d'homme. Il montait, ralentissait, ralentissait à mesure qu'il s'approchait de la porte. Un brusque espoir la faisait se précipiter dans l'entrée, mais le pas s'éloignait, l'homme montait à l'étage au-dessus et l'attente s'appesantissait davantage. Lasse et sur le point d'étouffer, elle se laissait retomber dans le fauteuil. Alors, elle pouvait bien se tenir des propos sur l'intelligence de vivre, elle avait beau se raisonner, elle ne pouvait arrêter ou même maîtriser les mouvements sourds de son cœur. Elle n'était plus que peur. Et l'idée, l'idée seule que le lendemain soir tout recommencerait exactement de la même façon, avec le même vertige que ni l'expérience, ni le raisonnement ne parvenaient à lui faire surmonter, avec la même peur contre laquelle elle ne trouvait rien, neuve chaque soir et cependant grosse de la peur de tous les autres soirs, si quotidienne qu'elle trouvait elle-même déconcertant, ce matin, de n'en avoir pas pu prendre l'habitude, cette idée seule la faisait tomber dans le vide.

— Qu'est-ce que tu entends par rien ?

Quand Serge décida-t-il de ne plus rentrer à huit heures ? Depuis longtemps. Elle ne se souvenait plus. Le travail, les réunions syndicales, les conférences techniques ou politiques le retenaient de plus en plus tard, et elle ne savait plus à quelle heure il reviendrait.

Près de la table dressée, elle attendait là, sans bouger, le souffle court, avec le sentiment, chaque soir, que peut-être il ne rentrerait pas, qu'il ne reviendrait plus.

L'hiver, il y avait dans la maison une immobilité proprement inhumaine ; les hommes rentrés chez eux, avec les portes fermées, la paix et l'ordre étaient dans les demeures. Elle se débattait dans le silence, ainsi qu'elle aurait fait dans une mare d'eau lourde, ayant hâte de toucher le fond pour reprendre pied en somme, mais ce fond reculait à mesure qu'elle y glissait, emportée, la tête vide, impuissante. Fuir, n'importe où, mais fuir ce silence rendu plus nu encore par le battement régulier de la pendule, par l'écoulement continu du robinet de la salle de bains qu'elle n'arrivait jamais à fermer complètement, fuir et ne revenir que lorsqu'il serait là.

Puis, au bout d'un long moment, d'un moment infini, sans limites, c'était bien son pas qui résonnait dans l'escalier. C'était bien lui. Elle s'asseyait près de lui, ayant tout oublié, silencieuse et calme, comme si le cœur n'avait pas souffert. L'univers tout entier était là, et dans la maison, chaque chose, de nouveau, reprenait son sens.

Elle entendait la voix de Serge, elle ne le reconnaissait pas. Lentement, il dressait un mur, il était chaque fois un autre, se faisant pour ainsi dire devant elle, par ricochets de mots, au point qu'il avait l'air de se surprendre lui-même dans cette construction, à la fois étonné et ravi, aussi fragile qu'un château de mots, aussi léger qu'un miroitement de mots, ne se posant jamais, et qui, trompant l'espoir, creusait la solitude, sapait l'être. Elle le regardait alors de ses yeux immenses et durs, elle tendait son visage pauvre et dur, elle le regardait avec la crainte blessée, la souffrance étonnée d'un enfant livré au malheur par son propre père.

— Mais qu'est-ce que tu veux dire ? demanda encore une fois Serge.

Elle parut ne pas entendre, puis :

— Rien, répéta-t-elle.

Elle ajouta au bout d'un moment :

— Je verrai.

« On ne pouvait manquer à ce point d'intelligence ni de volonté de vivre », lui avait dit un jour Serge. Comme si elle avait passé toutes ces années, assise dans une petite gare de province, son baluchon entre ses bras, à attendre. Mais aucun train jamais ne s'arrêtait. Et si quelqu'un était venu lui dire :

— Que faites-vous ici ? C'est une gare désaffectée.

Elle aurait répondu :

— Ça n'a pas d'importance.

Peut-être restera-t-elle encore là, vainement, stupidement, à guetter le train qui siffle au loin, venant elle ne savait d'où, allant elle ne savait où, fuyant dans un éclair. Et le cœur qui jaillit hors de la poitrine et s'élance et voudrait éclater et se perdre. Depuis longtemps déjà, elle ne comptait pourtant même plus sur une force obscure et bienveillante qui aurait bousculé la loi, charmé le hasard.

Peut-être attendra-t-elle encore et sans plus d'espoir, le corps ayant retenu cette douleur. Comme l'aveugle qui, après avoir recouvré la vue, continue à voir le bord du trottoir au bout de son bâton.

Brusquement, elle se tourna vers Serge, et avec force, comme pour s'en persuader :

— Je n'attendrai plus.

— Qu'est-ce que tu attendais ?

Elle répondit d'une voix neutre, lointaine :

— Je ne sais plus.

Il parlait.

Il parlait au nom de la légèreté qui n'est qu'une profondeur masquée.

Elle se disait bien que le vide et la solitude, que tout était préférable à la vie qu'elle menait avec Serge ; c'était aussi périlleux que de marcher sur un tapis roulant, on croit aller en avant alors qu'on va brutalement en arrière et que le temps lui-même se dérobe. Une vie plus exactement semblable à cette marche qu'elle avait faite une fois, en pleine nuit, dans un champ labouré, son être tout entier n'était plus qu'un constant effort, un épuisant effort pour monter et descendre, sans pourtant savoir sur l'instant si elle monterait ou descendrait. Quand tout se rétrécissait en elle pour ne plus laisser place qu'à la peur de tomber brutalement dans un trou, en croyant poser fermement le pied sur un terrain sûr. A dire vrai, c'était même plus angoissant que tout cela, car à peine avait-elle l'impression d'avoir découvert en

Serge quelque chose qui prouverait sa loyauté et sa solidité, à peine se laissait-elle bercer par cette confiance qui, pour elle, ressemblait fort à du bonheur — oui, ça devait être cela, le bonheur —, Serge bousculait tout, creusait des obscurités nouvelles qui faisaient se volatiliser les clartés de la veille, si bien qu'elle perdait pied complètement, attirée par en dessous, comme dans des sables mouvants, et il lui escamotait sa parcelle de bonheur.

Arrivait-elle par hasard et tant bien que mal à s'installer dans le pire, à s'y creuser un abri, un refuge, persuadée que le pire était encore ce qu'il y avait de plus sûr, à peine s'en était-elle arrangée, y trouvant même parfois comme une sorte de paix, ainsi qu'une bête tapie au fond de son terrier, que Serge, en coup de vent, brouillait tout, contestait par des évidences nouvelles ce qui paraissait pourtant certain l'instant d'avant et qui ne l'était plus, et faisait atrocement jouer en elle l'espoir, aussi facilement qu'un jeune garçon fait jouer le soleil dans un miroir, si bien qu'elle avait le sentiment pénible d'avoir souffert pour rien, elle ressentait l'humiliation d'avoir eu peur de rien, d'avoir été le jouet d'un truquage, suivie quelques secondes plus tard par cette certitude tout aussi intolérable, tout aussi humiliante qui venait non du cerveau mais du cœur, qu'elle venait de toucher du doigt pour ainsi dire ce qui à présent lui échappait, qui lui était apparu brusquement dans un éclair fugitif, immédiat, aveuglant, d'une évidence telle qu'elle aurait pu en suivre le contour, d'une réalité aussi tangible que si elle avait eu affaire à un objet, et elle perdait sa paix. En vain, essayait-elle de retrouver ce pire pour s'y creuser de nouveau un refuge, elle n'arrivait pas à voir clair, à se ramasser, elle se retrouvait dans le mouvement, comme si elle avait longtemps tourné sur elle-même, comme si, la valse finie, les visages et les objets tout alentour se mettaient à glisser en sens inverse.

Oui, elle se disait bien que le vide et la solitude étaient préférables à cette vie avec Serge, elle se le disait, mais elle sentait aussi qu'elle ne pourrait jamais se détacher de lui, liée qu'elle était par cette constante recherche de l'autre qui semblait ne devoir jamais finir, car Serge reculait à mesure qu'elle aurait voulu se perdre en lui ; elle savait bien que plus il reculait, plus elle se sentait seule et plus elle allait vers lui, et que plus elle allait vers lui, plus il reculait et plus elle se sentait seule. Elle s'accrochait de toutes ses forces à ce qui les liait encore et qui n'était peut-être qu'en elle, à ce désir d'éternité qu'elle avait mis entre eux, attachée si intensément à lui peut-être parce qu'il avait été par hasard, et simplement par hasard, le premier homme dans sa vie et qu'elle voulait vivre avec lui envers et contre tout. Elle y mettait l'entêtement stupide, l'acharnement de ceux qui perdent au jeu et qui continuent à jouer, dans le vain et le désespérant espoir de récupérer ce qu'ils ont perdu et de cette manière-là, ayant décidé une fois pour toutes de gagner précisément de cette manière-là, absolument certains que quelque chose interviendra qui fera tourner la chance, et perdant, perdant toujours, avec cette obstination proprement aveugle et sourde qu'ont les bêtes égarées à ne pas vouloir changer de chemin, même si une main charitable les en détourne.

Il lui arrivait cependant quelquefois d'attendre, de guetter l'irrémédiable, avec ce même espoir ardent qu'elle éprouvait à attendre l'été, cette même violence qu'elle mettait dans la recherche de ce qu'elle pensait être vrai, cette même rage impuissante qu'elle aurait eue si elle avait attendu un miracle. Pour ne plus flotter à jamais entre le doute absolu et la certitude absolue, basculant sans cesse entre la souffrance qui déforme le visage et l'espérance qui dénoue, sans jamais être tout à fait sûre cependant d'avoir pour de bon l'une ou l'autre, semblable ainsi à une balle de ping-pong, bondissant de l'une à l'autre et rebondissant au-dessus du vide, se sentant exactement mouvement continu, angoissant de l'une à l'autre, en suspens au-dessus du vide.

Tout d'abord, elle le regarda avec calme et indifférence ; il ne se lassait pas de nouer un morceau de ficelle qu'il venait de tirer de sa poche. Tout d'abord, elle l'écouta tranquillement donner ses raisons, l'une s'accrochant à l'autre qui s'accrochait à une autre, et puis à une autre, en une chaîne de nœuds irréfutables, aussi serrés, aussi solides que ceux qu'il était en train de faire avec ses mains, mais la vraie raison ne se montrait pas. Puis, elle n'écouta plus, sûre que la vérité lui échapperait aussitôt qu'elle l'aurait saisie, qu'elle perdrait son calme, et elle n'écouta plus.

Les paupières à demi fermées, tandis que bercée par le clapotis de ses mots elle le regardait faire, elle se dit qu'elle avait vécu avec lui, pendant toutes ces années, dans la pitié et dans le désespoir.

Serge nouant et renouant sa ficelle avait les gestes vifs et précis du faiseur de tours, son débit rapide, l'assurance parfaite et sans cesse menacée du prestidigitateur, cette même appréhension à maîtriser sans trêve. Et elle pensait qu'elle avait vécu avec lui dans la pitié et dans le désespoir. Cette pitié-là même qu'on a pour les montreurs de foire ; on voudrait comprendre, voir l'artifice, découvrir le sortilège et à la fois ne pas le voir, moins parce qu'on serait déçu et qu'on voudrait croire au merveilleux que par honte pour celui qui est démasqué, que par pitié pour lui. Démasqué, il ne serait plus seul. Mais démasqué, il aurait honte, et on se met à craindre avec lui, on craint l'imprévu, le petit rien, le hasard qui pourrait faire rater le tour, et on a beau se dire que démasqué, il ne serait plus seul quand bien même il aurait honte, on reste là dans l'attente et dans la crainte, et la sympathie fait son chemin avec la honte, le désespoir et la pitié.

Ce fut ce désespoir, ce fut cette pitié qui l'avait fait s'arrêter net dans les questions qu'elle n'avait pas pu, cependant, ne pas poser à Serge, un soir lointain où déjà tout aurait dû finir, ce soir si lointain qu'elle aurait presque pu l'oublier.

Il avait parlé devant tous. Il avait parlé de façon si habile, à la fois ferme et inachevée, si adroitement maladroite qu'il avait commencé d'abord à faire planer le doute sur elle. Et pourtant c'était lui, le coupable, et il savait qu'elle savait qu'il était le coupable. Puis, prenant le parti de Manuela, un parti pris qui semblait désespéré, il s'était montré à tous comme généreux et courageux. Enfin, il s'était ingénié à détourner la conversation pour faire oublier ce malentendu, la rendant coupable sans recours.

Elle était là, tendue, dure, hostile, avec le besoin de crier : « Ce n'est pas vrai ! Ce n'est pas possible ! Ce n'est pas vrai ! », ce qu'elle ne pouvait pas faire, et elle les regardait tous avec haine, tous, polis, avec leur visage de gêne, des gens du monde qui assistent à une fête de pauvre, avec leurs visages qui voulaient faire croire à la compréhension, et elle avait honte. Et tous l'avaient vu, mais lui savait qu'elle avait eu honte pour lui.

Quand ils s'étaient retrouvés seuls dans cette avenue déserte, il avait nié l'évidence avec sa prudence intelligente et implacable. Après avoir refusé de lui répondre, faisant le mort, il s'était mis en colère, puis il avait retrouvé son calme en parlant de tout autre chose, de Dieu et du diable, de l'O.E.C.E. et de calcul, de l'Euratom et de musique, il avait parlé de tout. Tout était dans le jeu, sauf lui, intact, verrouillé, poli, calme dans sa maîtrise intelligente, aussi absent que l'objet dans une figure de syllogisme.

Et elle, elle qui aurait toujours voulu aller loin, le plus loin possible d'un mal pour en avoir raison, pour pouvoir l'extirper tout rond, tout propre, sans franges et qui se tenait alors devant lui droite, violente et désespérée, elle qui avait toujours envie de mordre et jamais de raisonner, n'avait rien trouvé à faire, rien à dire que ce : « Pourquoi ? Pourquoi ?... » répété sans arrêt d'une voix rauque pendant qu'elle avançait avec peine le long de l'avenue, telle une oie à qui on a coupé la tête, lâchée dans une cour de ferme et qui erre, se cognant à tous les murs. Puis, aussi brutalement qu'un enfant cesse de sangloter, elle s'était tue. Elle avait eu pitié de lui. Et appuyée contre un arbre, immobile et lucide, elle était restée longtemps à regarder cette avenue qui ne menait plus nulle part.

Peut-être ce soir-là, se dit-elle comme d'habitude : Après, je verrai après, entassant les raisons et les inquiétudes, entassant les décisions à prendre, entassant tout. Et ne voyant jamais.

Car après, lorsque dans le calme elle essayait de voir, lorsqu'elle tentait avec l'intelligence et avec la raison de se retrouver dans ce labyrinthe, un moment tout paraissait facile et simple, puis brusquement, elle rencontrait cette chose fragile et précieuse, immédiate, intime, si évidente qu'elle aurait presque pu la toucher et qui transformait tout avec la force d'un sortilège, contre laquelle la raison ne pouvait rien et se dérobait, sur laquelle l'intelligence glissait et lâchait prise, cette chose qui faisait s'évanouir tout, aussi facilement que l'eau dissout le sel, qui faisait fondre tout, jusqu'à cette soirée où pourtant, elle avait pu se dire : « Le pire est arrivé, à présent », et dont elle n'était même plus tout à fait sûre. Et, comme le sel disparaît complètement dans l'eau, on ne le voit plus, mais partout dans cette eau il y a du sel, il n'y avait plus rien de ce qu'elle avait tenté de voir, de limiter et d'ordonner. Tout avait disparu et tout cependant restait en souffrance. Il n'y avait plus que cette force fragile et vivante, là, à la racine de l'être, cette force qui frémissait et qui geignait, sentait et empêchait de voir.

Et pourtant, tout aurait dû s'achever alors. Mais pour cela même qu'il avait fait ce soir-là et parce qu'il n'avait pas voulu le reconnaître, il ne pouvait plus désormais ne pas partir. Et elle, plus menacée encore qu'auparavant, elle était davantage impuissante à briser cette entrave qui venait de se resserrer. A la fois mémoire et anticipation.

Elle étendit les bras en avant, puis les laissa retomber. Et brusquement, il n'y eut plus en elle qu'un seul désir, qu'une seule prière : que la matinée prît fin.

Elle remonta ses cheveux qui étaient tombés sur ses épaules et se prit à rougir violemment en pensant à ses coudes déchirés. Elle aurait voulu que Serge ne les vît pas. Elle colla ses bras tout contre son corps, cacha ses coudes dans les creux du fauteuil. Mais sans doute Serge les avait-il vus depuis longtemps. Depuis longtemps aussi, il en était irrité. Peut-être partait-il précisément parce qu'il ne pouvait plus supporter la vue de cette vieille robe de chambre ? Il fallait bien qu'il y ait une raison.

Mais aurait-elle pensé à en vouloir à Serge lorsqu'elle lui voyait mettre, pour faire sa peinture, un vieux pantalon délavé, ravaudé ? Un jour même, elle en avait été attendrie, elle lui avait dit : « Tu vas grelotter ainsi. » Non, ce ne pouvait être cette robe de chambre aux coudes déchirés qui avait décidé Serge à la quitter.

Et tout aussitôt, exactement comme si cette rupture arrivait par surprise, une seule pensée l'habita : comprendre ce qu'elle avait pu faire, ce qu'elle avait pu dire qui ait poussé Serge à cette décision. Où se cachait le début ? Il fallait le savoir. Non que tout pût être sauvé, c'était trop tard. Et, à dire vrai, il n'y avait jamais rien eu à sauver. C'était condamné depuis longtemps. Depuis ce soir lointain où elle savait qu'il partirait. Depuis toujours. C'était fini avant même que de commencer, en somme.

Serge fit quelques pas, puis prenant appui sur le dossier d'un fauteuil, le corps penché en avant, il garda longuement les yeux fixés sur Manuela. Et il était évident qu'il guettait un signe. Pour un peu, il aurait presque été tenté de tendre l'oreille afin de se rendre compte si le souffle n'était pas oppressé, si, réellement, elle était aussi calme qu'elle le laissait paraître.

Il aurait fallu reprendre tout, depuis le

début. Comme lorsqu'elle rangeait son armoire. Elle avait besoin chaque fois de tout sortir, de faire le vide. Après seulement, il lui était possible de mettre de l'ordre.

Elle remontait ainsi à tâtons dans cette vie avec Serge où il n'y avait jamais eu d'abri, de soutien, de repos. Elle remontait à l'aveuglette dans cet immense réseau où à présent, de nouveau, elle ne voyait plus clair.

Alors elle le regarda, elle le regarda avec attention, comme si elle ne l'avait encore jamais vu. Elle se jeta à la hâte dans ses souvenirs ; elle se voyait accrochée de toutes ses forces à un radeau et Serge tapant comme un sourd sur ses mains pour lui faire lâcher prise, elle se jeta tête perdue dans les années en arrière et elle se voyait lavant les chemises de l'homme et préparant le repas de l'homme avec l'impression, chaque fois, de créer le monde, et elle le regardait et s'apercevait qu'elle ne l'avait jamais connu auparavant et comme encore jamais vu.

De nouveau, il parlait, il disait n'importe quoi à présent, sans raisons, sans motifs, pour meubler le silence, se berçant une nouvelle fois de chimères auxquelles lui-même avait cessé de croire depuis longtemps. Et, de nouveau, Manuela eut une immense pitié pour lui.

Puis, il parut hésiter et :

— Tu ne m'aimes plus, dit-il en se penchant sur elle.

Elle ouvrit tout grands les yeux, se demanda un moment si c'était bien Serge qui venait de parler. N'était-ce pas plutôt elle-même, qui, malgré elle, avait posé cette question inutile, cette question stupide ?

Elle paraissait calme et même détendue, ce qui ne lui arrivait jamais. Les yeux baissés, elle prit une cigarette et l'alluma tranquillement, comme s'il ne s'était rien passé, comme si Serge ne lui avait rien appris.

— Dis quelque chose...

— Si Dieu n'existe pas, murmura-t-elle très vite, pourquoi se révolter ? Pourquoi ?

Puis elle ajouta :

— Ça n'a pas de sens.

Ce ton calme, contenu, machinal. Elle était à ce point indifférente, absente, qu'elle semblait ignorer elle-même qu'elle parlait. Comme des bribes de lectures mal assimilées sorties de la bouche d'un enfant, tout cela était venu soudain et d'un mouvement gratuit voltiger à la surface, sans aucun rapport ni avec ce qu'il lui avait dit, ni avec ce qu'il imaginait qu'elle devait ressentir, ni surtout avec ce qui était en train de s'achever.

— Parce que si Dieu existe ?

Elle parut hésiter :

— Tout est injuste.

— Tu dis des banalités, ce matin. Ce n'est pas ton habitude.

Il se leva brusquement, vint s'asseoir sur le bras du fauteuil dans lequel Manuela était tapie, l'entoura de ses bras :

— Ecoute-moi...

Elle se dégagea doucement, tendit la main vers la table basse, prit le roman policier encore ouvert.

Serge l'observait, et elle aurait voulu que son visage fût indifférent. A vivre ainsi au jour le jour et sur le qui-vive, on devrait pouvoir défendre son visage ainsi qu'il est de coutume lorsqu'on fait les armes. Et tremper son âme comme l'acier des épées. Mais du moins, défendre son visage.

Elle lut au hasard : La plupart des habitants étaient des retraités venus finir leurs jours au soleil de Floride.

— La Floride !

Une petite vie tranquille, au soleil. Avec des perruches, des singes, dans une villa dont la façade de vigne vierge deviendrait rousse en automne. La petite vie tranquille de ceux à qui si le corps pèse, le cœur ne pèse plus. Qui ont déjà des yeux de mort, un corps de mort déjà.

— La Floride, c'est loin, dit-elle.

Avec les petits plaisirs des petits retraités dont le cœur, comme la peau, est ridé mais dur. Dont le cœur est mort.

Elle ferma le livre, le remit sur la table avec précaution, avec minutie, comme s'il se fût agi d'un objet fragile et précieux. Elle s'aperçut alors que sa main tremblait légèrement.

Il allait venir, le moment atroce, il fallait le repousser, le reculer le plus loin possible, mais il viendrait ; déjà elle sentait monter du plus profond d'elle-même, une force intense de détresse qui se poussait, qui allait rompre ses digues et allait l'engloutir. Sans pouvoir rien faire contre.

Elle fit un effort pour ouvrir les yeux, pour reprendre conscience, comme, après un rêve, on essaye de rétablir le contact avec ce qui est alentour, puis elle se tourna légèrement et fixa un moment la fenêtre par où entrait une lumière si claire qu'on aurait cru d'un printemps.

Brusquement, elle baissa la tête, serra ses mains croisées sur ses genoux. Il allait bien venir, ce moment où elle serait menacée dans son existence même. Elle aurait beau lutter. Menacée physiquement aussi. Elle le savait, et Serge aussi le savait. Tout allait se dérouler irrémédiablement, sans qu'elle y pût rien. On ne peut retenir le temps dans ses poings fermés ni arrêter les vagues déferlant sur le rivage.

Et pourtant, il aurait fallu se défendre. Il faut se défendre, prendre le malheur à pleines dents. Se défendre, avait dit Jérôme. Qu'avait donc dit Jérôme ?...

Un moment, elle se sentit perdue. Malgré elle, ses yeux revenaient toujours à Serge, ses yeux ne pouvaient se détacher de Serge, avec une attention qu'elle ne pouvait plus maîtriser.

Elle en avait voulu à Jérôme, ce jour-là. Il n'avait rien compris. Il s'était arrêté, lui avait soulevé le menton, cherchant ses yeux qu'elle gardait obstinément fixés au sol :

— C'est vraiment une idée folle de passer ton temps à t'occuper des moyens d'arriver à la connaissance et de la possibilité de cette connaissance...

— Je sais des tas de choses. Si je les oubliais, ça ne me manquerait pas, je t'assure.

Il la toisa, et montrant la Sorbonne:

— On ne t'a pas dit tout à l'heure que comprendre, c'est dominer ?

— Il y a ce que je sais et puis il y a ce que

je crois, ce que je sens. Et ça ne va pas toujours ensemble.

Ces mots avaient eu du mal à sortir. A présent, elle semblait libérée et tranquille.

— Et ton intelligence, à quoi peut-elle bien te servir ?

— On agit d'après ce qu'on est.

Il la prit par les épaules et l'attira contre lui. Et s'appliquant à lui parler avec une brutalité mêlée d'une tendresse gauche :

— Essaie de te mettre une bonne fois pour toutes dans la tête que contre l'erreur individuelle, il y a la vérité. La vérité. Mais, tu ne sais même pas ce que ça veut dire.

— Vois-tu, si on m'enlevait un jour tout ce à quoi je crois, il me semble que je perdrais Dieu.

— Et après ? M'est avis qu'il vaudrait mieux que tu le perdes tout de suite...

Puis, la regardant avec attention, il partit d'un rire sec, nerveux :

— Je me disais bien aussi qu'il te manquait quelque chose, mais sérieusement, je n'aurais jamais pensé que c'était...

— Que c'était quoi ?

— L'intelligence, pardi !

Il hésita un moment, puis la prenant par le bras :

— Cette crainte maladive... Comment te défendras-tu ? En interrogeant les astres ?

— Avec les dents, avait-elle coupé. Avec les dents.

Sans lui dire au revoir, elle s'était très vite engouffrée dans une bouche de métro, cependant que Jérôme criait :

— Idiote ! Sauvage !

Se défendre !

Avec Serge, il n'y avait aucun moyen de se défendre. Elle avait lutté, toutes ces années, lutté à visage découvert, non pour le changer, mais pour marcher de front et du même pas que lui, lutté de façon stupide, il est vrai, maladroite, tel un enfant qui voudrait se rendre compte de ce qui se trouve sur une table et tirerait à lui la nappe avec violence. Avec la passion d'un fou qui voudrait faire tenir debout un sac vide. Avec la stupidité d'un ivrogne qui s'efforcerait de faire rendre à un chaudron le même son qu'une horloge. Lutté de façon sauvage et désordonnée pour rétrécir la distance qui les séparait et se rendant compte qu'au lieu de la rétrécir, elle l'augmentait, lutté pour connaître la vérité de Serge au point même...

Elle passa sa main sur le front et brusquement releva les yeux. Elle rencontra le regard de Serge et se mit à rougir violemment, non pas tant à cause de Serge qui la fixait qu'à ce souvenir dont elle gardait une certaine blessure.

Sa gorge se noua soudain et elle cacha sa tête dans ses mains.

Oui, un jour, elle avait essayé de mentir à Serge. Avec la même bonne volonté qu'on met à bien prononcer une langue étrangère. Systématiquement, avec passion, en somme, comme quelqu'un qui ne voudrait rien faire d'autre que de mentir, elle y avait mis une application tellement délibérée, si rare, si opiniâtre que Serge s'était beaucoup amusé, ce jour-là. Et même, elle avait surpris en lui, une certaine irritation faite plutôt de séduction que de reproche, une espèce de sympathie profonde, et comme de la reconnaissance pour ce qu'il avait pris sans doute pour de la coquetterie, ou la découverte d'un nouveau jeu :

— Mais tu as de l'humour, avait-il dit. Et je ne le savais pas !

Se défendre ! Il était impossible de se défendre avec Serge. Elle ne le trouvait jamais de face. Jamais à visage découvert.

Il aimait mieux le téléphone. Et elle, elle le sentait alors plus proche.

Pour la première fois, il était impossible à Serge de tirer un mot d'elle. Et il ne comprenait pas.

— Il faut pourtant que je te dise, commença-t-il avec une certaine vivacité.

De la main elle esquissa un geste gauche, sans signification, mais violent.

Comment Serge, qui comprenait tout, ne comprenait-il pas qu'il fallait enfin se taire ? Qu'ils devaient, ce matin, éviter à tout prix les mots. Elle écouterait et ne comprendrait rien, comme d'habitude. Toute occupée de son péril, de ce qui était retenu caché. Dès lors que Serge commencerait à s'expliquer, elle sentait bien qu'elle entrerait dans un engrenage dont elle ne pourrait plus sortir, et qu'au lieu de la vérité promise et qu'elle attendrait, il y aurait des mots. Des mots qui ne signifieraient rien, qui n'avaient plus aucune prise sur elle puisqu'elle savait. Et cependant, elle attendrait quand même, parce que la vérité la plus évidente ne pouvait être vraie et réelle et vivante que si c'était lui qui la lui avait dite.

Elle écrasa sa cigarette avec une soudaine rage, sachant bien que cette rage aussi, il fallait la contenir qui pouvait la faire tomber perfidement dans les mots, la faire tomber dans le piège des raisons et des explications, dans la ronde folle des causes et des effets qui distrayaient, exaspéraient et ne livraient jamais le secret, l'essentiel, mais le dérobaient plutôt. Des mots qui n'arrêteraient pas ce qui devait se·faire.

Elle s'enfonça un peu plus profondément dans le fauteuil, serra ses jambes étroitement dans les pans de sa robe de chambre, essayant de se faire le plus petite qu'elle pouvait, rétractant son corps pour se protéger.

Il se leva, s'approcha de la bibliothèque et, tournant le dos à Manuela, regarda un moment les livres. Au début de leur mariage, elle se souvenait de les avoir rangés non dans un ordre logique ou même tout simplement alphabétique, mais par taches de couleurs, exactement comme si elle leur avait refusé cette joie de l'esprit qu'il est d'usage de leur prêter. Plus tard, elle avait renoncé à ce pêle-mêle coloré parce que leur nombre avait augmenté, les teintes neutres aussi, et que le temps avait mangé les bleus, les jaunes et les rouges. Depuis, elle avait une collection de boîtes d'allumettes...

Il tira un volume, le feuilleta, le remit en place avec des mouvements rapides et précis mais distraits, et elle sentait en lui une certaine angoisse latente et comme une sorte de malaise qu'il n'avait jamais dû éprouver.

Elle aurait voulu lui dire :

— Puisque tu veux partir et que c'était de le dire qui te tourmentait, pars, mais ne te tourmente pas.

Exactement comme avant, comme toujours, comme chaque fois qu'elle le sentait en proie à quelque chose de douloureux et qu'elle ne voyait plus rien, qu'elle ne se souvenait plus de rien, qu'elle ne comprenait plus rien, perdue dans ce tourment qu'elle ne connaissait pas et qui le faisait souffrir.

— Ne te tourmente pas, avait-elle coutume de dire d'une voix qui sortait d'autant plus rauque et plus tendue qu'elle avait trop craint de ne plus en avoir.

Il posa la main sur l'épaule de Manuela :

— Ecoute-moi, supplia-t-il.

Elle voulait tant protéger la petite chose à quoi il l'avait réduite. Elle était sur le point de consentir mais elle voulait tant défendre, elle ne savait plus quoi au juste, peut-être enfin l'obscurité même. Autrement, il n'y avait plus que le désespoir, il n'y avait plus que la mort.

— Je sais bien à quoi tu penses, dit Serge. Tu me hais.

Elle resta un moment sans répondre, les sourcils hauts, se demandant si c'était bien Serge et elle qui étaient là, l'un devant l'autre, l'un près de l'autre, à la fois proches et désormais étrangers l'un à l'autre.

— Ecoute, dit-elle.

Mais elle s'arrêta, fixant sur lui un regard vide, comme si elle n'avait plus su que dire. Elle ne trouvait plus rien à dire.

Instinctivement, elle se rétracta davantage dans le fauteuil, releva légèrement l'épaule exactement comme lorsqu'on veut éviter un coup, n'osant même plus regarder Serge en face. Puis :

— Fais vite, murmura-t-elle.

Mais déjà la terreur était dans sa voix.

— Il y a un autre homme dans ta vie ?

Un autre homme.

Elle aurait voulu lui dire : Je n'ai jamais rien attendu de qui que ce soit au monde sinon de toi.

Alors surgit une ombre. Simplement une ombre. Et un cri.

Le cri du gardien qui fermait le Forum :

— *Si chiude !*

Comment cela arriva, elle ne se souvenait plus. Mais l'angoisse avait bien commencé avec ce cri violent, sans objet. Dans cette lumière de janvier qui baissait de plus en plus, aigre, couleur de prune diaprée. Là, au milieu des ruines, il n'y avait personne. Elle était seule, assise sur ces dalles disjointes, devant ces façades épuisées qui peu à peu entraient dans la nuit. Pourquoi cet homme ne s'était-il pas approché, pourquoi ne lui avait-il pas dit doucement qu'il devait fermer ? Comme si, par quelque émotion soudaine, insensée, ce cri rouillé, invariablement répété chaque soir, sorti non de la chaude poitrine d'un homme, mais de la colonne de Phocas qui se dresse farouche, stupide, dans cette étrange foire à la pierraille, allait brusquement et pour elle seule, se transformer en une parole humaine, d'une douceur, d'une tendresse humaines. Elle n'arrivait pas à s'arracher au piédestal contre lequel elle était adossée, se sentant loin de tout et de nulle part, voulant être ailleurs et ne le pouvant pas, errante et clouée là, dans ce silence de tout, dans cette mort de tout, malgré elle attendant, attendant que par quelque compassion miraculeuse et absurde, une voix d'homme égrenant une misère ancienne vînt à elle pour la libérer de sa misère, ou que par quelque pitié gratuite, divine, une plainte jaillie d'une blessure de pierre répondît en écho à sa plainte, attendant comme d'habitude avec espoir et désespoir, force et faiblesse, tranquillité et impatience, la sympathie, la compassion, un certain accord, et précisément là où ils ne pouvaient être, sûre de la stupidité de cette attente, de la vanité de tout effort, et tout aussi persuadée qu'il fallait faire face, infiniment confiante en la sollicitude obscure qui ne connaît pas la distraction, mais irrémédiablement certaine que Dieu n'a jamais assez d'amour.

Et alors, dans ce ciel d'une solitude si vieille, d'une indifférence si vieille, témoin blasé d'une si vieille histoire, avait éclaté le vacarme assourdissant des cloches qui meurent et qui renaissent, s'en vont, reviennent, s'arrêtent et de nouveau sonnent à toute volée, meurent et puis renaissent et expirent enfin en une note d'une solitude si grande, inlassablement, indéfiniment répétée, à la fois la même et autre et cependant unique ; ça entre dans les prunelles, dans le cœur, dans les oreilles avec la dureté de pointes d'acier, la régularité sans faille des supplices chinois, un son et encore un et puis un autre, à la fois le même et autre, le glas du temps poussé par le temps, la voix infatigable, exténuée de ce qui fuit et recommence et ne revient jamais, rien qu'un son, solitaire, monotone, atroce, qui ne se tait jamais, se répétant san fin jusqu'à ce point fragile où la tête n'est plus qu'un grillet qui y fait écho.

— *Chiude !*

Elle se leva enfin, respira par petits coups, comme un enfant qui aurait pleuré longtemps et, aussi vague qu'une feuille d'automne chassée par le vent, elle s'efforça de suivre la Voie sacrée, dans le pas de ceux qui avaient poli ces dalles mille et mille fois anciennes. Pour être à même de se retrouver dans cette confusion, pour avoir le cœur calme et lutter contre le fatras des pierres étiquetées, l'amas des feuilles d'acanthe et des débris de marbre, des inscriptions tronquées, des colonnes en morceaux rafistolées tant bien que mal par un archéologue, les fondements de temples écroulés qui avaient servi de fondements à des temples écroulés, les socles sans statues et les statues sans tête, les façades au placage effrité, aussi fragiles, aussi effrayantes que des images de cauchemar, et ces trois colonnes tels des chicots dans une affreuse bouche de vieillard, il fallait y voir clair. Il fallait connaître l'histoire, la dominer.

Elle cherchait avec passion, avec minutie, les images et les textes depuis longtemps oubliés, s'efforçant de faire surgir quelque chose de tout cela autrefois vivant, César descendant la Voie sacrée au-devant de ses légions, Cicéron qui fit trembler les Rostres, les Sabins à l'assaut des hauteurs du Capitole, mais le patricien et l'esclave fugitif, la courtisane et les saints des litanies, le Romain qui voulait durer et celui qui voulait se perdre en Dieu, tous étaient noyés dans la même confusion au fond du temps glacé et sans regard, ceux que l'espoir ne trouble plus, verrouillés et tranquilles, ceux, aveugles et sans larmes que l'attente ne ronge plus, que n'habite plus aucun désir, au fond du trou béant, sans joie, sans fardeau, sans douleur.

S'enfuir, courir, se fondre dans le flot continu des hommes qui marchent et parlent et rient dans les lumières de la rue, oublier près des eaux vives des fontaines qui gardent toujours en elles comme une force pour le passant, mais elle était aspirée par le vide du Forum, elle dérivait, aussi lourde pourtant qu'une femme qui aurait porté dans ses bras un enfant mort, avec toutes ces pierres qui, la nuit venue, allaient se refermer sur elle pour l'étouffer, ou la terre s'ouvrir, comme autrefois, au milieu du Forum, la précipiter dans l'abîme, sans même qu'un figuier rabougri pousse, témoin de son passage.

Elle voulut crier quelque chose pour se rassurer, se prouver qu'elle était vivante, et elle se mit à penser à son enfance. Ce fut alors ce début de vers latin qui, spontanément, stupidement remonta de sa mémoire : *Suave mari magno*, aussi inutile et fallacieux, aussi cruel qu'une histoire racontée dans une langue étrangère à un homme qui crierait sa soif. Elle chercha en toute hâte, avec rage, s'arrêtant pour reprendre son souffle, quelque chose à quoi elle aurait pu s'amarrer pour émerger de la solitude dans laquelle elle avait sombré à pic, mais tout était plongé dans une brume opaque, il n'y avait plus que ce seul vers qui s'écoulait, et elle sans force pour pouvoir le retenir ; il s'écoulait avec la facilité, la monotonie de l'eau qui s'échappe d'un vase, l'absence de signification, le vide, l'ennui, le rythme lent qui berce une salle obscure durant une chaude après-midi de juin, l'inopportunité des vers latins psalmodiés par de jeunes bouches avides de soleil, jusqu'à rencontrer l'arrêt brutal devant lequel le cœur se voudrait impassible et désespère de ne plus sentir les choses exister avec lui : un mot qui se dérobe soudain et brusquement fait basculer dans un monde inconnu où tout, désormais, est inutile, hormis cette sonorité intérieure à la fois familière et inconnue qui bruit au fond du vide blanc de la mémoire et puis se perd à jamais dans le creux d'une nouvelle ride d'oubli.

Elle reprit :

Suave mari magno turbantibus æquora [ventis...

Mais il n'y avait plus que ce seul vers, semblable à une coque vide que la mer aurait laissée en s'en allant. Elle voulut alors le tirer de toutes ses forces en arrière, mais elle était dans l'impossibilité de s'en libérer parce qu'il fallait bien lui laisser le temps de se reperdre, ou peut-être simplement parce que quelque chose en elle n'avait pas encore dit non, les vers suivants pouvaient contenir quelque indication secrète, une promesse cachée. Ainsi isolés, ces mots, sans rien qui les prolongeât, n'avaient pas plus de sens que sa vie avec Serge (Serge décidait brusquement de l'arrêter, cette vie, et précisément en l'arrêtant, il l'empêchait à tout jamais de dire son sens).

Elle ouvrit tout grand ses bras, les referma

sur le vide, regarda Serge de cette façon à la fois soumise et pathétique de quelqu'un qui prie. Et alors, ce mot devint vital. Il était l'espérance. Il allait bien finir par se trouver un chemin. Il allait poindre. De temps en temps, quelque chose émergeait, faisait miroiter une place brillante où se reflétait l'espoir. Et le malaise renaissait, plus pesant. Pourtant elle le devinait, elle le sentait en elle, elle l'entendait. Avec impatience, avec rage, elle fouillait dans sa mémoire, mais ce mot se dérobait d'autant plus obstinément qu'elle mettait dans cette recherche davantage de passion, et plus il se dérobait, moins il lui était possible de s'en libérer. A l'image même de sa vie.

Elle reprit une fois encore :

Suave mari magno turbantibus æquora
[ventis...

Elle prendrait appui sur ce mot, cet obstacle franchi, tout se déviderait comme une pelote de laine bien serrée quand on arrive à dégager le fil, tout se dénouerait en elle avec facilité, avec douceur. Tout reprendrait son sens.

La vie allait se resserrer sur cette odeur de jasmin qui sautait au visage à la sortie de l'école et le goût de pain frotté d'huile et d'ail, sur les gestes lents et graves de sa mère enfin retrouvés, et avec eux la paix, l'accord, le fil mince et sans cassure de ce qu'elle n'avait cessé d'être, ainsi que l'eau après s'être perdue dans le sable retrouve un sens, en retrouvant la pente.

Mais rien ne bougeait dans cette profondeur vide où elle ne se sentait plus elle-même, sans cependant se sentir une autre. Elle était aussi gauche et pauvre, aussi inconvenante qu'une poupée de bazar à laquelle on a retiré les vêtements, quelqu'un avait tout arraché au-dedans d'elle jusqu'à cette souffrance même qui raffermit la vie et garde l'honneur sauf.

— Pourquoi ne me réponds-tu pas ? demanda Serge.

A quoi fallait-il répondre ?

Un autre homme !

Et de nouveau, il y eut cette odeur de temps. De nouveau, il y eut le ressac sans bruit du temps qui ne peut cesser d'être et ne peut se ressaisir, et l'attente par-delà les mots, de quelque chose qui ne serait jamais dit, qui ne pourrait pas être dit, quand le cœur se retranche, se ferme en un cri et voudrait figer une parcelle d'éternité, dans la solitude qui vient résonner sur le fil ténu de l'être.

Etait-ce un rêve ? Les rues de Transtevere désertées par le froid, la fontaine qui dans le vent semblait battre de l'aile, le ciel profond de Rome sans lune et sans étoiles, et elle, seule à seule avec la nuit, au bord du fleuve noir, le cœur tout petit à l'heure où s'étaient allumées les lampes, se demandant encore devant la lourde porte : Est-ce que je sonne ou est-ce que je m'en vais ? Et aller où ?

Etait-ce un rêve ou un lointain souvenir ?

Un pas d'homme, un pas lourd et cruel venant du fond obscur du salon, et l'angoisse s'était faite plus précise, plus dense. Elle réprima sa peur. Lorsqu'il fut en pleine lumière, elle vit son regard enfantin, innocent, et ses yeux d'un bleu tranquille semblaient si mal s'accorder avec son pas, si mal s'arranger avec son visage long, étroit, irrégulier, on aurait cru d'un Greco, qu'elle dit aussitôt :

— Vous m'avez fait peur !

— Peur ?

Son sourire aussi, était celui d'un enfant émerveillé qui regarde un arbre de Noël.

Elle fit un geste vague et dit très vite :

— C'est vendredi.

— Et alors ?

— Le vendredi, dans tous les pays du monde, il ne peut arriver que du malheur.

Elle rit, mais le son de sa voix avait trop signifié qu'elle avait peur, et peut-être alors déjà, regretta-t-elle ce qu'elle venait de dire qui rendait possible ce qui n'était que fugitif, inévitable ce qui pouvait ne rester que possible, elle avait trahi maladroitement, puérilement, et de façon d'autant plus claire, la peur indéfinie et cependant intense qu'elle avait de la très banale, très pauvre, très vieille fin de toute rencontre.

Comment cela arriva, elle ne s'en souvenait plus. Mais elle se revoyait dans le halo d'une grosse lampe à abat-jour vert, écoutant cet homme qui de sa voix lente et chaude de paysan du Sud, parlait des questions agraires en Sicile, cependant qu'à l'étage au-dessus, quelqu'un jouait une fugue de Bach, et l'angoisse avait enfin disparu. Et même, dans le refuge d'un fauteuil profond, dans la paix tiède du salon si peu conforme à ce qu'elle aimait, encombré de bibelots sans valeur, rendu moins accueillant encore par ces fleurs raides et sans visage piquées en bottes serrées dans des vases étroits, liée pour un moment et par hasard à une existence qui jusqu'alors lui avait été étrangère, liée à un homme qu'elle ne connaissait pas quelques minutes plus tôt et avec qui elle se sentait étrangement paisible, en sécurité, elle aurait voulu rester longtemps jusqu'à ce que vînt doucement le sommeil dans cette paix chaude et douce comme le creux d'un nid.

C'était enfantin de croire qu'elle ne savait absolument pas alors ce qui allait se produire, elle se rappelait pourtant bien que les paroles de cet homme étaient si peu en rapport avec son regard tendre, et qu'une sorte d'intuition l'avait avertie du danger quand elle ignorait encore la forme qu'il prendrait.

Quel fut le geste, quel fut le mot, comment cela arriva, elle ne parvenait plus à s'en souvenir. Peut-être n'avait-il rien dit, peut-être vint-il simplement contre elle?

De toutes ses forces, de tout son poids, elle s'était appuyée un moment au bras de cet homme dont le nom même était oublié, sentant déjà se creuser la solitude rendue plus vive encore par cette musique obsédante, inlassable, s'accrochant de toute sa peur à ce bras, dans l'attente et dans le refus tout à la fois, dans le déconcertant espoir d'être arrachée un moment à son histoire par un homme dont elle ne savait rien, à la fois proche et lointain, familier et inconnu, plongé dans la même solitude et, tout autant qu'elle, prisonnier de lui-même, elle essayait désespérément de rejoindre en lui ce qu'elle ressentait, elle attendait stupidement, elle attendait d'un passant d'être guérie d'une blessure ancienne.

Et elle supplia :

— Dites-moi quelque chose...

Dans le flux irréversible du temps, au

cœur de la solitude où les voix se cherchent en souffrant ainsi que dans une fugue, comme si pouvait jaillir entre eux, une étincelle de pitié infinie, de sympathie infinie, l'amour de ceux qui ne peuvent s'aimer encore, le don de ceux qui ne peuvent se donner encore, l'échange pour ceux qui ne peuvent encore se rejoindre.

— Quoi ? dit-il absent, pressé.

Elle attendait la délivrance du cœur qui s'était pris dans l'exil, dans l'intervalle infranchissable qui la séparait d'elle à elle-même, et lui, de sa main douce et impitoyable, avec ses paroles prévues, caressantes, usées comme les vœux de nouvel an qui permettent de confondre les visages, il allait commencer une histoire indéfiniment répétée, une histoire qui contiendrait une détresse plus grande, un exil plus grand, comme une mort secrète.

— Non, cria-t-elle en le repoussant avec passion.

La nuit était plus humide, plus froide, la rue plus déserte. Dans le salon où, un moment, elle avait cru trouver le répit, l'homme allait et venait, il colla son front contre la vitre. Elle restait là à regarder. Dans la nostalgie de ce qui aurait pu être, dans le regret de ce qui avait été.

Quand il éteignit la lumière, elle s'en alla.

Rome. Une ombre. Un cri.

— Non, dit-elle en se tournant vers Serge.

Et sa voix n'avait jamais eu aussi peu de conviction, un aussi grand détachement.

Etait-ce si extravagant de penser qu'il pouvait y avoir un autre homme ? Elle avait certainement pris des mesures, pouvait se dire Serge, elle avait tout de même dû s'assurer qu'elle ne tomberait pas un jour dans le vide ; elle savait bien, elle sentait bien qu'avec lui, Serge, ça ne pouvait finir autrement, ça ne pouvait que finir. Elle n'était sûrement pas aussi innocente qu'elle le paraissait.

Manuela disait toujours : Tout ou rien, et pour elle c'était là, non pas une formule, mais une façon de vivre. Le résultat avait toujours été piteux, c'est certain, et cependant cette passion à être tout de peur d'être réduite à n'être rien, cet acharnement à ne vouloir rien si elle n'avait pas tout, le refus des arrangements, la fierté, cette constante difficulté trouvaient en lui la même rage contre ce qu'il appelait sa droiture meurtrière ou sa désespérante âpreté, mais aussi une résonance intime, précieuse, comme le charme d'une nostalgie dans un coin obscur d'où il avait été sans forces pour les arracher.

Il chercha sa main, serra son bras :

— Tu me restes attachée ? demanda-t-il doucement.

Si elle avait voulu le retenir, il lui aurait

suffi de répondre : non. Mais était-ce bien le même homme qui, à présent, semblait presque souffrir, il allait partir, il avait décidé de la quitter et il souffrait d'une image, en somme, d'une simple image qui n'avait rien d'inquiétant mais dans laquelle il ne se reconnaissait plus. Elle surprenait Serge et Serge se surprenait lui-même, inquiet de ne pas savoir si Manuela qui était là devant lui, lui appartenait encore totalement. Et si elle n'était plus à lui totalement, elle n'était plus du tout à lui. Etait-ce vraiment le même homme qui lui avait dit, un jour :

— C'est affreux, tu me seras fidèle jusqu'à ta mort ?

Cette fidélité était pourtant moins une fidélité à Serge qu'à elle-même. Il le savait. Et, aussi confuse qu'une religieuse qui attendrait un enfant, elle lui avait demandé :

— Comment faire ?

— On se change, avait coupé Serge.

Réfléchis, alors il n'y aurait plus de problème. Je te quitterais, avait-elle eu envie de répondre, mais elle s'était retenue.

Un soir, dans un dancing où ils fêtaient l'anniversaire de Serge, un ami l'avait embrassée. Elle s'était laissée faire. La danse finie, raide sur la banquette et le visage dur, elle regardait Serge et puis Pierre, l'ami, se disant : Ça n'a pas de sens. Pourquoi vouloir tromper Serge ? Pour se tromper elle-même ? Par jeu ? Silencieuse, hostile, elle regardait Pierre avec dégoût et Serge avec pitié, puis elle regardait Pierre avec pitié aussi, Serge avec haine, en se répétant : Ça n'a pas de sens. Je ne peux le faire que si j'en ai envie, et si j'en ai envie, il n'y a pas de problème.

Après cette soirée dont elle avait gardé un souvenir triste, elle se disait souvent qu'un jour, elle prendrait un amant, non par désir de se ménager un point de chute, selon l'expression de Nelly, non par peur de tomber dans le vide comme Serge disait, ni pour faire croire à cet amant que si elle quittait son mari c'était pour lui, mais dans le besoin de penser qu'il y avait un salut possible en dehors de Serge, et que ce salut était à la portée d'une bonne volonté. Peut-être surtout et simplement parce que cette idée d'amant tournait en rond dans sa tête depuis cette soirée où ils avaient discuté sur le « besoin d'altérité », laissée là avec le refrain que sifflait Serge sans arrêt :

Un jour, tu verras
On se rencontrera
Quelque part n'importe où...
Guidés par le hasard...

Elle se le disait, comme quelquefois elle se disait qu'elle aurait une voiture, un grand chien... Sans jamais faire quoi que ce fût pour avoir l'un ou l'autre. Ne tenant, au fond, ni à l'un ni à l'autre.

Serge la prendrait alors dans ses bras, avec sans doute ce sourire un peu triste, infiniment tendre qu'a l'homme lorsque sa femme lui annonce qu'elle attend un enfant, dans les films américains. Cette nostalgie si on surprend une ombre de moustache naissante sur les lèvres d'un jeune garçon. Il a grandi sans qu'on s'en aperçoive, sans bruit il est sorti de l'enfance, et tout est différent à cause de ce rien qui le fait aimer davantage, à la fois le même et autre, portant en lui comme un secret et rappelant celui qu'on a longtemps aimé.

C'est ce qu'il aurait fallu faire pour être intelligente : prendre un amant. Serge aurait tenu à elle parce qu'il n'était vraiment attaché qu'à ce qui lui échappait, il ne donnait une valeur durable et comme d'éternité qu'à ce qu'il pouvait perdre. Et il ne voulait rien perdre. Au lieu d'être comme un chat suspendu au-dessus de l'huile brûlante, attachée simplement à la vie par cette main qui la tenait par la peau du cou.

— Serge, avait-elle dit en revenant du

dancing, Serge... Pierre m'a embrassée, ce n'est rien, bien sûr... Mais j'ai comme une tristesse...

— Mais aussi, pour une fois que tu te lançais, avait répondu Serge en riant, avoue que tu as plutôt mal choisi...

Etait-ce vraiment le même homme qui, à présent, criait presque :

— Réponds-moi. C'est important.

Elle aurait voulu lui répondre d'une voix calme, indifférente, non pas de cette voix blanche qu'elle avait dans les moments de désespoir. Et cependant pas d'une voix tout à fait indifférente non plus, elle n'aurait pas semblé naturelle. D'une voix normale. Elle aurait voulu lui répondre, mais elle sentait trop bien, avant même de parler, la parole vaciller en elle, elle savait qu'elle ne pourrait sûrement pas arriver à cet état de calme où le ton devient lisse, simple, régulier. Elle n'osait pas se risquer à entendre sa voix, sa propre voix qui, sans doute, allait frémir, sortir brûlante, et qu'il lui faudrait retenir comme on retient un cheval qui s'emballe, elle se trahirait, révèlerait à Serge que tout était comme avant, avant qu'il n'ait dit qu'il allait partir. Elle haussa les épaules.

Serge se mordit la lèvre, sembla hésiter, parut avoir envie de dire quelque chose, puis il eut un sourire fait d'agacement plus que de satisfaction de soi.

— Suis-je bête, comment ai-je pu douter un instant ? C'était sûrement ce qu'il pensait. Comment ai-je pu poser une pareille question ?

Etait-ce bien une réponse que Serge attendait ? Cherchait-il à recevoir un choc ? Qu'importait ; à présent, il était irrité, non pas de s'être montré jaloux, dans une certaine mesure si cette jalousie avait fait plaisir à Manuela, il en était sans doute content, bien qu'à vrai dire, il n'y eût pas songé. Non, il était irrité et même intimement blessé.

— Je n'aime pas les innocents, lui avait-il dit un jour.

— Je voudrais... en juin, commença Serge.

Elle détourna son visage, prise d'une subite pudeur, se renversa sur le dossier du fauteuil, appuya sa joue contre la paume de la main. Serge hésita, puis ce fut dans un murmure :

— Tu es belle, tu sais.

— Oui...

— Si tu étais moins tendue, tu as tout pour me plaire. Je voudrais t'emmener... Nous passerions quelques jours ensemble...

Lui avait-il jeté cet os pour partir plus facilement, c'est-à-dire la conscience tranquille ? Voulait-il par un mot du bout des lèvres, par cette promesse faite sur le seuil, racheter les vacances qu'il ne passait jamais avec elle, ou bien désirait-il ne pas la perdre tout à fait ? Il savait bien qu'elle refuserait, il la connaissait, alors n'était-ce pas plutôt en lui le même et constant besoin de se fuir, de se libérer du rôle de bourreau qui lui était par hasard départi — et tout à fait par hasard — en refermant ce passé et tout ce qu'il contenait sur un refus de Manuela ?

Il la regarda avec tendresse :

— En Sicile...

Elle battit fort ses paupières en un rythme lent, appliqué, elle essayait ainsi d'égayer ses yeux d'où toute joie était depuis longtemps exclue, elle battait ses paupières à la façon des enfants lorsqu'ils veulent attirer les larmes.

Ne pas écouter ce que disait Serge, ce qu'il promettait. Et ne plus penser. Diriger l'esprit sur n'importe quoi, mais surtout ne plus penser, ne plus écouter.

Elle ferma les yeux pour mieux laisser monter en elle les cris de son enfance. Une cour de récréation. Et elle en tablier noir. Cette grande joie très sûre qui se diffuse. Que personne ne peut enlever. Cette chaleur connue, cette chaleur oubliée. L'odeur du pain chaud en rentrant de l'école. La maison. Sa mère, tout près d'elle. Le refuge. S'y blottir. La voix douce, grave de sa mère. Le visage doux et connu de la maison. Elle se penche, se penche avec hâte, avec passion. Montent, comme d'un coffre à jouets, des odeurs secrètes et chaudes. Les grandes journées de moisson dans un village de Provence. Le soleil immobile comme l'éternité dans le ciel uniforme, éclatant. Les tournesols flambant noir et jaune. Le cœur léger, les désirs innocents dans un monde pas encore déchiré.

— ... Tu voulais tant connaître la Sicile...

Dans le cartable de Dominique, il y avait toujours des pommes reinettes. Dans le sien, des figues et des châtaignes sèches. Ils faisaient des échanges. Parfois, il apportait des réglisses parce que son père était pharmacien. Dominique, les joues gonflées comme deux petits ballons, et les yeux si bridés qu'elle se demandait s'il n'était pas fatigué, le soir, de les tenir ainsi tendus. Il sentait le gros savon. Elle l'appelait : Bouledogue. Et lui : Cosse de haricot. Les religieuses psalmodiaient : *Virgo fidelis. Domus aurea.* Le bruit des souliers qu'on traînait en entrant à la chapelle. Tout cela, familier, connu. Et Jésus pendu au mur, sûr et connu, lui aussi. Un asile. Ne plus errer. Se couler hors de cette vie avec Serge. Retourner là où l'on est né. Là où sont les racines. Où tout est connu. Où tout est sûr. Un refuge. La maison. Dans le lit de son enfance. Tirer très fort le drap. Se couvrir la tête. Oublier. Et que tout rentre dans la paix. Dans la foi.

—... C'est très simple...

Très simple. Rapprocher les images jusqu'à sentir l'odeur d'amandes, de miel et de prunes qui surgissait lorsque sa mère ouvrait le bahut noir. Rapprocher les images si près des yeux, si près de l'âme. Ne plus faire qu'un avec l'enfance. S'y confondre. Un jour, elle avait dit à son frère : Je voudrais me marier avec toi. Comme il est dit que faisaient les Pharaons dans le livre d'histoire. Je te connais. Je connais ton père et ta mère. Je sais tout de toi. Et la voix de sa mère : « J'ai toujours dit que cette enfant était folle. Pas comme les autres. A quinze ans, de pareils propos. Mais non, elle n'avait pas dit ça. Sa mère avait dit... Qu'avait-elle été chercher ? Sa mère avait dit : « Les chagrins sont comme les couleurs vives. Ils passent au soleil. » Sa mère avait dit... Et Serge, lui aussi : « Je voudrais que tu sois comme les autres. Tu ne sais même pas pleurer. Tu souffres comme les chiens. Sans larmes... »

En hâte, elle rentre tout, bien enfermé au fond d'elle-même, en toute hâte, comme on se presse de rentrer à la maison ce qui est à soi quand l'orage menace.

— Je voudrais pourtant te dire les raisons...

— Non.

Son ton est ferme et sec. Qu'allait-elle trouver dans cette explication nouvelle, sinon un nouveau visage de Serge, une nouvelle complicité entre lui et lui-même ? Rien, sinon l'humiliation de se voir rejetée dans l'ombre une fois de plus, après avoir eu comme toujours l'éclair brutal de la vérité.

— Quand les raisons ne sont pas claires... lui avait-elle dit ce fameux soir. Ce n'est pas possible que tu donnes la mort, alors que tu aurais dû me donner la vie.

Il avait ouvert la porte :

— Pars. Personne ne te retient.

Et elle avait pensé : Un homme, c'est bien lâche.

Elle ne s'était jamais résignée à ce que tout ne fût pas clair entre eux. Accepter ce que Serge appelait avec un regard complice, un peu humide, les zones d'ombre, c'était pour elle se résigner à vivre dans un monde étranger. Accepter ce qui s'était passé un certain soir, c'était accepter la mort. Elle préférait la souffrance pure et nue au vertige que donne l'obscurité du danger.

Avec Serge, ce n'était jamais ni l'un ni l'autre, mais l'un et l'autre à la fois, c'était surtout le passage de l'un à l'autre ; au lieu de cette vérité toujours promise, il distillait le doute et elle était chaque fois prise au piège des mots, comme dans un filet, l'esprit battant la campagne, passant d'une souffrance qui pouvait ne pas avoir de causes à un brusque espoir jaillissant soudain et peut-être sans aucun fondement. Vie en suspens ainsi que dans une ville où, chaque jour, quelqu'un se serait ingénié à changer le nom des rues, aurait eu la cruauté d'en bousculer le plan.

Des obstacles se dressaient, aux visages sans cesse nouveaux ; elle faisait effort pour voir clair dans la confusion et s'adapter comme elle pouvait, tant bien que mal, à ce scénario où Serge n'était jamais totalement présent et jamais totalement absent, où il se dérobait aussi vite qu'il se montrait, la fuyant, se fuyant, aimant toujours à paraître celui qu'il aurait voulu être et n'étant jamais celui qu'il disait être.

A peine adaptée à un nouveau rôle, déjà elle devait courir ailleurs, sans répit, sans pouvoir souffler, bien sûr, elle aurait dû fuir Serge au lieu d'aller vers lui, mais elle ne faisait aucun effort, elle ne pouvait faire aucun effort pour agir autrement, mue qu'elle était comme par un ressort dont elle n'avait plus le contrôle vers quelque chose qu'elle savait pourtant bien ne jamais atteindre ; elle courait cependant, elle courait toujours, comme l'âne qui court après la carotte qu'il a sur le front, elle courait avec l'effroi d'être toujours en retard, ce qui arrivait inévitablement, elle cherchait Serge là où il n'était déjà plus, empêtrée dans ses mots comme un enfant dans un tapis troué; courant, courant toujours, elle arrivait pile pour recevoir le choc d'une porte qu'il lui fermait au nez.

C'était, chaque fois, le même élan fait de pitié et de désespoir qui la faisait ainsi se précipiter avec frénésie au-devant de Serge, cherchant un accord, essayant de rejoindre en lui cette certitude qu'elle portait en elle et qui lui ferait écho, alors même qu'elle se rendait parfaitement compte que c'était inutile, sûre qu'il fallait agir au lieu d'attendre le destin, et tout aussi sûre que ce qui devait arriver arriverait, ne pouvait pas ne pas arriver, elle se démenait stupidement, à la diable, à la fois forte et faible, en hâte, dans la peur.

L'intime blessure d'être prise de court, l'humiliation de s'être montrée indiscrète n'étaient rien cependant, elle acceptait tout et même davantage, ayant toujours su ce qu'il lui faudrait faire et ne s'y résignant pas, ne le pouvant pas, persuadée qu'elle était d'échapper du moins à une plus grande souffrance, d'échapper au pire, ce gouffre béant de la solitude qui l'attendait si, un jour, elle perdait Serge.

— Il faut me comprendre... Avec tes yeux qui ne savent pas mentir, avec cette espèce de droiture que tu portes en avant comme une bannière, d'un air dégagé. C'était une constante provocation, et il faut me comprendre, j'avais toujours envie de te mentir.

Il a enfin supprimé ce qui les séparait, ce qui le divisait, ce qui était entre lui et lui et que rien ne ferme plus, il a donné l'explication. A présent, elle a enfin trouvé ce qui manquait à sa tranquillité. Elle le comprend mieux, elle le comprend tout à fait.

Et à nouveau, comme si l'espoir n'avait pas souffert, elle est attente de quelque chose, de quelque chose qui comblerait l'attente, la ferait battre des mains. Alors qu'elle est là, ramant, ramant dans le vide, luttant de toutes ses forces contre l'instinct qui parle en elle et pour rien, éternellement en elle cependant, elle jette les yeux sur le divan que Serge vient de quitter, le cherchant alors qu'il est là, debout tout près d'elle, mais le cherchant précisément sur le divan, malgré elle, malgré tout ce qui vient de se passer, elle se débat avec rage contre l'espoir qui voudrait se pousser dehors à tout prix, il y a urgence de vie, il y a urgence de mort, elle lutte à la folie contre l'espoir qui piaffe et laboure le ventre et veut se trouver une place, se faire un nid, là, tout doux, elle lutte sans trêve et à la diable pour le tirer en arrière. Serge parle. Et il met de nouveau le pied sur son cœur, et quelque chose lentement se retire d'elle, cela qui la tiraillait sans pitié et à quoi elle avait essayé d'accrocher un reste de vie, ce qui était en elle, venu on ne sait d'où, venu stupidement dans un tumulte, un torrent pour la laisser là, en course, stupidement là, sans défense, la laissant là, la rougeur de la honte sur le front.

Elle se répète tout bas comme un refrain dans une sorte de rage impuissante, s'en prenant moins à Serge qu'à elle-même, à sa déconcertante stupidité, à son incroyable inconscience ou peut-être s'en prenant surtout à Celui qui là-haut distribue les rôles au petit bonheur : C'est injuste, c'est injuste !

Serge se penche. Et voilà que cette violence en elle qui s'était arrêtée, impossible, désormais impossible, cruelle à porter, cruelle à quitter, qui voudrait aller vers Serge et s'y briser, fouaille la chair qui se souvient, tiraille la tête, fait battre le sang aux tempes, allant et venant en une ardeur frénétique, en une passion à être, trop mobile pour être maîtrisée, trop diffuse pour être cernée, trop insidieuse pour se laisser rejeter, la secouant énergiquement comme un objet brassé avec d'autres dans une machine, la violant pour la laisser là, évidée, prise au dépourvu.

Il dit avec chaleur :

— En Espagne. Tu ne connais pas l'Espagne et ta mère est Espagnole...

Elle passe ses mains sur son visage en un geste lent, régulier, comme pour effacer quelque chose qui y serait resté malgré elle, elle se mord les lèvres. Oui, c'est bien à elle que Serge parle. A-t-il oublié ce qu'ils ont été l'un pour l'autre ? A-t-il oublié tout ? Les meubles sont pourtant là et le livre ouvert sur la table, sa pipe, sa robe de chambre jetée sur le divan, tout cela si familier, si quotidien et intime.

— Qu'est-ce que tu as ?

— Rien, rien du tout. Ce n'est rien.

De nouveau, elle essaya de se composer un visage, mais elle était encore chaude de la nuit passée sur son épaule et elle sentait la peur bouger en elle. Le pire est là, pensa-t-elle, et cependant, il n'est pas encore là.

— Je voudrais tant t'aider.

Elle restait à le regarder. Au bout d'un moment, elle murmura :

— Oui...

Puis, elle détourna la tête avec gêne.

— Tu veux bien, dis ?

Elle répète :

— Oui...

L'enfance. Non. Mais descendre, en venant de la gare, dans le soleil, jusqu'à l'Arno. Comme la première fois. Florence. Les ruelles. Dans les cris des garçons pieds nus, couleur de café. Au regard brillant, sauvage. Se laisser dévisager, les yeux noirs du Napolitain dans ses yeux noirs. Se tiendrait-il encore, l'air grave, derrière sa montagne de citrons, de maïs et de raisins ? La joie du soleil retrouvé, de la paix retrouvée. Ne plus chercher. Prendre part au bavardage distrait et sonore des femmes accroupies sur le pas des portes. Profiter du temps, sans plus de hâte, sans plus de crainte. Dans le jour doré coulant par lentes et larges vagues. Dans la chaleur qui entrave la mémoire. L'Arno. Y vider son histoire. Et que tout rentre dans l'ordre. Au soleil, une heure poussant l'autre au bord de l'Arno. L'Arno, herbeux, lent, blond. Sans douleur. Sans espoir. Tout disposer dans un espace de ciel et de silence qui décide de la cadence du cœur, semblable à la farouche harmonie de ces pierres qui se suffit à elle-même. Mais sous le soleil aussi, et pour toujours, se sentir sans défense, aussi nue qu'une orange pelée. Des visages passent, des visages sans nom. Se parler à soi-même, se tenir compagnie. Désenchaînée, solitaire. Errante de nouveau. Arrachée avec ses racines. Et sans avoir oublié. Sortir de la foule toujours en fête, échapper aux chants et aux rires de la rue qui blessent la chair à vif. Un moine, chapelet à la main à San Miniato al Monte, se promenant parmi les tombes. Là où la joie ne compte plus, ni la faute. Où les regrets et la prière ne servent plus à rien. Se pincer le bras jusqu'à se faire mal, jusqu'au sang, pour libérer cette douleur qu'elle porterait encore. Sous ce soleil qui meurtrit plus que de la chaux vive. Le cœur en quête d'une compagnie, plus nécessaire que le pain et que l'eau. Elle entrerait dans une église. Tendant la main comme le pauvre. Dans l'odeur âcre des églises qui sent l'aumône et l'abandon, y cherchant Dieu. Dieu indifférent, absent. Dieu qui ne prête qu'aux heureux. Chassée de l'église aussi. Le cœur toujours en quête d'un rien inexprimable, à l'heure où le jour agonise. Errer de nouveau. La nuit tombe brusquement. Un sourire. Une rencontre. Les corps chauds. Les chambres chaudes. L'amour. L'étranger, la tête pleine d'histoires et le cœur plein de mots. Que tout cela ne mène à rien qu'à des joies dorées de poussière. Et qu'à retrouver une plus grande confusion, une plus grande solitude. Ployer le corps sous le chagrin. Quand il est encore trop tôt pour oublier. Qu'il sera toujours trop tôt. Et toujours cependant, cette même hâte désespérée, cette même ardeur impuissante, cet élan farouche et qui se brise de lui-même dans la vaine et stupide recherche non de quelque chose mais de quelqu'un, et qui ne peut aller que vers la mort. Ramasser précipitamment ses vêtements. Errer de nouveau seule. Parmi les couples. Toujours parmi les couples. Au bord d'un fleuve mort.

— En Espagne, tu veux bien ?

Elle tourna vers lui un regard si singulier, comme si brusquement elle s'apercevait de sa présence que Serge en fut ému. Il hésita, puis :

— Ce n'est pas le bonheur que tu quittes, dit-il doucement.

Il n'y avait même pas de Noël, pensa-t-elle, avec ce qu'il apporte à tous de paix, de joie. De chaleur. Serge s'arrangeait depuis longtemps pour ne pas être là. La Noël, disait-il, lorsqu'on n'est plus enfant, c'est plutôt pénible. Mais le bonheur et le malheur, ce qu'il disait et ce qu'il ne disait pas, ce qu'il faisait et ce qu'il ne faisait pas, tout cela n'avait pas d'importance. L'essentiel était qu'il existât, qu'il fût là.

— Il ne me manquait rien, dit-elle d'une voix où il n'y avait plus espoir ni désespoir.

Chaque image en amenait une autre qu'elle tirait de toutes ses forces en arrière.

S'arrêter de penser, d'espérer. Ou alors, penser à n'importe quoi, puisqu'il n'y a rien à faire pour immobiliser cette navette. Puisqu'il est impossible de retenir, de barrer ce qui jaillit. Ce n'est pas aussi simple que de couper le courant électrique. Que veulent dire les chiffres qui sont sur le compteur ? Elle devait toujours le demander à Serge. Elle n'avait jamais rien compris aux chiffres. Serge, lui, comprenait. C'était sa partie. Serge. Non. Combien le Colisée contenait-il de places ? A combien de kilomètres se trouve exactement Rome ? Plus, certainement plus, puisque Nice est à sept cents, huit cents ? Plus, toujours plus. Toujours plus que ce qu'on compte, toujours plus que ce qu'on a, que ce qu'on sait. Toujours plus que ce qu'on est. Et d'abord, penser plus vite, plus vite, rayer ce mot de Serge, une fois de plus porteur d'attente, porteur d'espoir, une fois de plus Serge qui demande :

— Qu'est-ce que tu voudrais ?

De nouveau le mouvement automatique, envahissant de l'espoir. De nouveau la menace. Penser vite. Saisir quelque chose à la volée. Le digamma. C'est ça, le digamma dans Homère. Toute une année à courir après le digamma dans l'Odyssée. Il y avait combien d'années ? Non. Elle avait déjà passé ses certificats de philo. A l'oral, la psychologie de l'épaule. Jérôme, derrière elle, s'était esclaffé. La salle noire. Et dehors le soleil éclatait. Après, ce serait les vacances dans la chaleur et le cri des cigales. Les vacances. Sans Serge. Non. La tête du professeur. Sa longue barbe. Il ressemblait à Karl Marx. Ce qui reste dans la tête du digamma, de Karl Marx, du beau selon Platon, du vrai selon Kant, de la substance chez Spinoza, de la liberté... La liberté, quelle chimère ! Non. Le digamma, plutôt. Mot magique. Un an. Incroyable. Un an et ça ne voulait plus rien dire. Un jour viendrait où d'entendre le nom de Serge ne trouverait aucun écho en elle. Serge. Au début, elle avait cru qu'il était Russe. Un nom, simplement un nom qui bientôt ne voudrait plus rien dire. Et pourtant quel miracle il avait fallu, en somme. Elle, fille d'une Espagnole et d'un paysan de Provence, lui issu de générations de bourgeois parisiens. Serge. Non. L'axiome de continuité. Premier mode de la première figure du syllogisme. Barbara. Tout M est P, tout S est M. Barbara, il pleuvait sur Brest, ce jour-là. Etait-ce bête de l'avoir pris pour un Russe, alors qu'il était tout ce qu'il y a de plus Seizième arrondissement ? Non. La Sorbonne. Soyez béni, Seigneur, qui donnez la souffrance. Non. L'aoriste chez Platon, la grâce dans Saint Augustin, la passion selon Descartes, la félicité selon Leibniz. Des moyens de parvenir à un contentement durable. Etaient-ils si bien fondés, si authentiques, si irrécusables pour que celui-là même qui en avait fait le sujet de son diplôme n'ait pas été tenté d'en trouver un bien à lui, imprévu mais durable, irréfutable. Il s'était tué.

Elle se cacha la tête dans ses mains :

— Je voudrais comprendre... Toi qui comprends tout... Je voudrais qu'on m'explique... Je voudrais savoir. Savoir comment vivre...

Mais elle ne dit rien de tout cela.

— Je voudrais, commença-t-elle...

— Tu voudrais ?

— Etre une autre, répondit-elle d'une voix lente et paisible, un peu appliquée.

Pouvoir dire calmement : J'ai fait un travail sur Schopenhauer. Sans rougir. Alors qu'elle ne sait plus depuis longtemps ce que cela veut dire, la volonté selon Schopenhauer. Prendre le mari d'une amie, par desœuvrement. En passant. Par distraction. N'attacher d'importance à rien. Bâiller, s'étirer. Danser. S'aimer. Voilà, s'aimer. Et se laisser aimer. Aucun intérêt. Mais s'aimer. Donner le change. Escamoter. Briller. Savoir vivre. Rien n'est jamais blanc ou noir, mais à facettes, se faisant, se refaisant, se dérobant pour mieux s'affirmer, se retirant un peu pour revenir et noyer tout. Savoir vivre. La vérité n'est pas dans les extrêmes. Toutes choses égales d'ailleurs. Se fendiller au petit bonheur de façon à ne pas se casser en tombant, le moment venu. S'aimer. Savoir vivre. Se maquiller. Et rire. Et garder ses distances.

— Moi aussi, je voudrais être un autre.

Elle n'avait jamais compris pourquoi Serge aurait voulu être un autre. Pour elle-même, elle n'aurait pas voulu être une autre. Non parce qu'elle s'aimait, mais parce qu'être un autre, c'est cesser d'être, c'est une espèce de mort. Davantage même. C'est pire que la mort. Elle aurait voulu lui dire qu'il ne suffit pas de changer de compagnie, d'appartement, d'ami, de femme et de ville, pour être un autre. Lui dire qu'on ne devient que ce que l'on pouvait être. Pour ne plus souffrir, il ne suffit pas de voyager. Une rencontre :

un miracle, en somme. Au micro, Red Francisco. Voyager n'est pas guérir son âme. De qui était-ce donc ? Pouvoir enjamber le temps. Si seulement elle arrivait à découvrir comment cet autre démontrait que 6 est autre chose que 3 plus 3. Evanouis aussitôt que saisis, ces jeux de mots, ces apparentes absurdités qui occupaient des heures. Zénon, Achille et la tortue. Zénon, Zénon d'Elée, cruel Zénon. Serge. Ça tue au petit bonheur, en passant. Par distraction. Ariane, ma sœur. Annabel Lee. Mon mal vient de plus loin. Non. La chasse aux essences. Jean Pic de la Mirandole. Comme un point sur un i. Hegel et la ruse de la raison. L'essence et Philon d'Alexandrie, Kant et la causalité, la substance et Spinoza. Bras dessus bras dessous. Et, *mutatis mutandis*, la connaissance et Hegel, Platon et l'essence... Pourquoi pas ? Des mots. Ce qui reste quand on a tout oublié. Le jeu fini, on rend les dés. Il Vous sera pardonné, Seigneur !

Elle tournait et retournait la chaîne qu'elle avait au cou, regardant Serge, la bouche entrouverte, les sourcils hauts. Pour faire cesser une souffrance, il ne suffit pas d'agiter dans sa tête, comme des dés dans un cornet, les restes morts d'une culture morte, de tirer du sac de la mémoire ces bribes décolorées, effrangées, ces chiffons poussiéreux qui ont une apparence éternelle, toujours hors de saison et qui, par surcroît, ne vous ont jamais appartenu en propre, ces vêtements d'emprunt qu'on se passe de main en main, ces frusques de pauvre qui n'a rien pour se couvrir.

Elle dit :

— Comme tu m'as choisie, je suis restée.

Tout en sentant bien que ce n'était pas cela qu'il fallait dire, justement pas cela, et ne pouvant pas s'en empêcher pourtant, poussée qu'elle était quelquefois par un instinct diabolique à provoquer un choc plutôt que de le prévenir ou de le détourner, à faire tomber carrément par terre ce qui risquait simplement de tomber, ce qu'elle aurait pu empêcher de tomber avec un peu d'intelligence et de raison, ne tenant pas à ce qu'il ne tombât pas pourtant, préférant le voir par terre en mille morceaux plutôt que de l'avoir là, suspendu dans l'ombre au-dessus de sa tête.

— Justement.

Puis, sans lever la tête :

— Je t'ai fait souffrir, dit-il d'une voix triste.

Elle leva la main en signe d'indifférence, se tourna vers le mur. Il n'y avait rien à répondre.

Cependant, Serge répétait :

— Oui. Et je t'en demande...

Mais elle lui imposa silence.

— Non.

Non. Ou bien il fallait étaler devant soi tout le passé comme une carte d'état-major, et expliquer ce passé, et le nettoyer, en faire quelque chose, ou bien le laisser somnoler sans bruit, là où il était. En tout cas, ne pas aller chercher comme dans le sable avec un bâton de paille. Pas de petit aller et retour dans le passé, avec cette douceur fausse qui écorche les morts, cette sollicitude trompeuse qui fait se mettre à genoux devant ce qui s'est éteint à jamais, ce désir facile de crier pardon alors qu'on est déjà sur le marchepied d'un train, ce désir qui fait trouver comme un goût vif à ce qui a une saveur de cendre. Pas de petit aller et retour dans le passé. Ou alors le sortir tout entier. Sortir tout. Toujours plus.

— Tu as toutes les revanches à prendre sur la vie.

L'avenir, c'était ce dont elle avait le plus peur, puisqu'il était sans lui, et il le savait. Chercher ailleurs, vivre avec à la fois ce poids et ce vide du cœur. Tout ce qu'il emportait d'elle avec lui dont il n'avait que faire. Je ne vois pas quel visage pourrait remplacer ton visage, lui avait-elle dit un jour.

— Tu as tellement fait partie de ma vie...

Mais elle n'écoutait pas. Elle pensa : C'est par crainte de la mort qu'il s'en va, il sait bien que je lui ai tout donné, sans mesure, sans partage, et moi, c'est par crainte de la mort que j'aurais voulu rester près de lui, m'enfoncer dans son visage et dans ses rides, m'abîmer dans sa vie et dans son sillage, m'enfoncer dans le temps.

— Je te comprends, dit-elle.

— Je ne voudrais pas te perdre.

Elle hocha la tête dans un acquiescement, qui en était un, parce qu'elle avait décidé une fois pour toutes de répondre par un oui à ce qu'il demandait, mais qui ne pouvait cependant pas en être un, parce qu'elle n'écoutait plus ce qu'il disait. C'était plutôt un mouvement acharné à la rencontre d'images dans lesquelles elle aurait pu se perdre. Rome. Non. Naples. Les aventures, c'est à Naples qu'on les trouve. Aux sons des guitares. Le temps passe, tout est noyé, on ne pense plus. Naples, et la vie qui, brusquement éclairée par un désir nouveau, vire d'un seul jet, aussi vite, aussi facilement que du papier de tournesol.

Elle tourna la tête à droite et puis à gauche, cherchant des images, cherchant du secours, il n'y avait plus d'images, quelque chose en elle se décrochait en grondant dans le tumulte d'un torrent qui se précipite, se décrochait et pourtant restait ancré là, s'élançait avec la fureur du chien fou qui voudrait rompre sa chaîne et ne cessait d'être cette souffrance toujours là, fichée comme un vide-pomme dans un fruit, la fouillant, la creusant sans relâche, et il n'y avait plus de secours, il n'y avait plus rien.

Restait ce tableau où la solitude du ciel rejoignait la solitude de la terre, et jetée là, oubliée des hommes et de Dieu, à jamais solitaire sur cette plage dénudée, à jamais perdue, cette forme vague et désolée dont elle n'avait jamais su dire si c'était un caillou ou une âme, une poupée abandonnée par un enfant dans sa hâte de fuir ce désert ou un vieux soulier qu'aurait laissé la mer en se retirant.

Les pas de Serge dans la salle de bains, la porte de l'armoire qui s'ouvre. De nouveau, les pas de Serge. Une espèce de douceur oubliée, une sorte de paix oubliée qui entre lentement en elle. Puis la voix de Serge qui demande quelque chose, qui cherche quelque chose. Serge qui ne trouve pas ses affaires, comme d'habitude. Et elle pourrait facilement croire que tout est comme avant. Et comme s'il devait toujours en être ainsi.

Aussitôt, une joie et un espoir naïfs s'emparent d'elle, une joie sans but, un espoir sans but, et le désir intense, étrange et gratuit d'appeler à soi ce qui fait gai. Se mettre gai, selon une expression que Serge aimait bien et qui l'amusait. Comme on se met en blanc ou en jaune, à la Saint-Germain-des-Prés ou selon les directives de Christian Dior. Méthode Hauser qui draine le foie. Carnegie, le cœur. Tout cela en cinq minutes et pour pas cher. Un peu de mélasse, de levure de bière. Un peu de bonne volonté. Brouillez le tout et servez chaud. Juste un peu de volonté. Simplement. Et la volonté de vouloir : escamotée. La santé en cinq sec. Le bonheur en un tour de main. Et la beauté avec. Le merveilleux à la portée de tous. Les conseils de Bérangère pour les crèmes. Ceux de Patricia pour les autres rides, plus difficiles à faire disparaître. Vider un cœur comme une orange. Et le fringuer comme il faut. Et l'être-déjà-dans-le-monde. Et la facticité. Et l'être de l'existant. A coups de scotch, de rouge, un soupçon de noir aux yeux. De gris plutôt, c'est moins franc et plus flatteur. Ou alors le transfert. Aussi facile que de décrocher un tableau pour le suspendre à un autre clou. Et en route pour la belle vie. Dépassé. L'en-soi et le pour soi. Le dasein qu'on met à toutes les sauces. Dépassé. L'art non figuratif aussi. Les boîtes de nuit, les caves. La complicité, le camouflage. Et la soirée finissant tout bonnement au strip-tease. Dépassé. Le rock and roll. Dépassé demain. Mais dans tout cela, toujours, cette recherche au delà de l'instant, au delà de ce qu'on a, cette crainte, précise et indéterminée, exquise comme la douleur *exquise* des fractures, cette terreur de la mort. Cependant, qu'elle se répète : pour ne plus être malheureux, il suffit simplement de ne plus vouloir être heureux. Qu'elle se répète avec rage, avec désespoir, ce qui n'est ni efficace ni intelligent, ce qui n'arrange rien : il faut se mettre gaie. Et tout aussitôt : être enfin ce que l'on est.

Serge revient, ouvre le tiroir de la table,

prend quelques papiers et brusquement, sans raisons, il dit avec douceur :

— Avec toi, ce serait vouloir attraper les éclats dansants de la mer avec les mains...

Comme si Serge avait entendu battre son cœur. Comme d'habitude. Comme toujours. Serge qui comprend tout, qui sent tout. Et déjà, elle se reprend à espérer de nouveau, de nouveau, elle s'apprête à recommencer à vivre.

Il y avait entre eux un accord ténu, subtil et étrangement fort à la fois. Un accord de haute lice. Manuela venait ainsi qu'un chien qu'il aurait sifflé, elle venait du fond du désespoir parfois, sans rancune, sans feinte, sans calcul, comme si elle avait été sans mémoire, comme si elle avait été parfaitement stupide, avec une impatience, une ardeur qui ne s'usaient pas, qui ne s'useraient jamais. Et avec reconnaissance, alors même que ce n'était pas toujours vers un morceau de joie qu'il lui jetait à toute volée qu'elle accourait.

Cette reconnaissance envers Serge d'être là, d'exister tout simplement.

Au début, il avait été heureux de ce pouvoir, il en avait usé et abusé. Puis, le jeu ne l'avait même plus amusé. D'abord parce qu'il était toujours le même, invariablement, ensuite parce qu'il était fatigant à l'extrême, déprimant. A certains moments, il y avait en elle un si avide appétit de vivre, un besoin si intense, si vital de donner, un si humble contentement de petites choses, que les bras lui en tombaient. Et il lui en voulait alors de son absence de rancune, il lui en voulait d'avoir besoin de lui pour respirer, il lui en voulait de ne pouvoir trouver en lui-même ni assez de force, ni assez d'amitié, ni assez de confiance pour la sauver. Et il était devenu comme avare de tout ce dont elle aurait pu tirer une petite joie. Avare comme d'un trésor, d'un geste, d'un mot tendre, de sa présence, d'une sortie, et le jour où il s'était aperçu qu'elle aimait à lui laver ses chemises, il en avait chargé la domestique.

Il distribuait cette joie au petit bonheur, la retenant parfois, alors même qu'il avait le désir de la lui jeter, lui en donnant un peu et tout aussitôt se reprenant. Il ne lui laissait jamais, en tout cas, le sentiment que le lendemain ou même l'instant d'après, il aurait cette générosité.

— Qu'est-ce que tu voudrais ? demande-t-il machinalement.

Elle ébaucha un geste qui signifiait que cela n'avait pas d'importance, que plus rien n'avait d'importance.

— Je sais, tu n'étais pas très exigeante.

Brusquement, elle tourna vers lui un visage étréci. Elle n'est plus, cette fois, que hâte, impatience d'aller vers une fin, vers n'importe quelle fin. N'importe quoi, pourvu que ce soit tout de suite.

— Dépêche-toi, supplie-t-elle en joignant les mains.

Il mit la valise sur la table, tout près d'elle, retourna dans la chambre, revint avec une pile de linge. Et alors le regard de Manuela s'attache à lui avec anxiété, sa voix haletante et rauque se fait blanche :

— Qu'est-ce que tu fais ?

Il est là, interdit, les mains en l'air, avec une expression trahissant la gêne, comme pris en faute, et un étonnement, moins pour ce que vient de dire Manuela, que parce qu'il ne croit pas lui-même à ce qu'il est en train de faire. Il n'en croit pas ses yeux, elle le voit bien. Mais, brusquement, il se raidit, et d'une voix qui se voudrait ferme :

— Je pars.

On croit qu'on a le temps. Tout le temps. Un moment d'inattention, et la voilà qui arrive en courant et prend au dépourvu, elle laisse à d'autres le soin de régler vos affaires, elle entre en vous et n'en ressort plus : C'est comme la mort, pense-t-elle, ça vient si vite.

Sincèrement, honnêtement, elle ne pouvait pas dire que Serge l'avait prise à l'improviste, et cependant, bien qu'elle ait su que cette chose devait arriver, n'ayant aucune idée, toutefois, de la façon dont ça se passerait, comment le coup viendrait, mais sûre, n'importe comment, d'être prise à la gorge, et persuadée depuis toujours que le pire était précisément cette valise à faire, Serge emportant ce qui était à lui, et que rien ne pouvait empêcher de se faire ce qui devait être fait, bien qu'elle ait attendu fébrilement et souhaité que cet instant arrivât au plus vite pour n'avoir plus à le craindre, pour en avoir raison, pour en finir une bonne fois pour toutes, le provoquant presque afin de pouvoir dormir sur ses deux oreilles, ce fut exactement comme si elle n'y avait jamais songé.

La valise était pourtant là, sur la table, qui ne pouvait signifier que le départ, ça crevait les yeux, et ce départ était proche, réel, quelque chose en elle le savait, et cependant elle se refusait encore de toutes ses forces à y croire, comme si elle avait attendu quelque chose de différent. Quoi ? Elle n'aurait su le dire, simplement quelque chose de différent, les yeux pleins d'un étonnement naïf devant cette valise et cette pile de linge, à la fois attentive et stupéfaite, comme si elle n'avait pas su qu'il faut bien faire sa valise quand on part, incrédule et agacée aussi, parce que ce qu'elle avait attendu se faisait encore attendre, ne se décidait pas à venir. Absolument sûre, elle s'en rendait parfaitement compte à présent, que quelque chose interviendrait au dernier moment, ou plutôt quelqu'un, quelqu'un qui n'aurait été ni Serge ni elle-même, dans cette espérance, dans cette croyance folle, vague et pourtant indéracinable que le miracle se produirait qui flanquerait tout par terre.

Et de nouveau, elle est là, à se demander si c'est bien Serge et elle qui sont là, l'un près de l'autre, Serge faisant sa valise et elle tout simplement le regardant faire. La vie aurait tellement pu continuer comme avant, et à vrai dire, à bien réfléchir, de façon intelligente, il n'y avait aucune raison, absolument aucune raison pour se retrouver seul, chacun de son côté et seul, alors qu'il était si facile de vivre à deux. Que demandait-elle ? Rien ou pas grand-chose. Depuis longtemps, elle s'arrangeait du peu de lui qu'il voulait bien lui accorder. Ce départ était absurde, puisqu'il n'y avait pas de raison.

Et alors se tournant vers lui, elle demanda d'un ton à la fois brusque et timide :

— Une femme ?...

Puis, très vite, alors qu'elle sentait bien qu'il ne fallait pas le dire, mais persuadée qu'elle devait faire quelque chose, et tout aussi fortement persuadée que c'était inutile, absolument certaine qu'il était trop tard pour faire quoi que ce fût, elle dit de cette voix à la fois tendue et hésitante, lasse et résolue qu'on a lorsqu'il faut prendre une décision rapide, lorsque devant le feu qui prend de toutes parts, on perd la tête :

— Parce que... On-pourrait-vivre-ensemble-on-pourrait-vivre.

Il la regarda qui avait parlé si vite, si vite, dans la hâte et dans la terreur de quelqu'un qui agonise et a une chose importante à faire et est résolu à aller jusqu'au bout, dont le souffle est mesuré, dont le temps est compté avec minutie et incertitude, ou dans l'inconscience, l'extrême détachement qui l'avait fait se jeter d'une barque pour sauver un jeune garçon en train de se noyer, alors qu'elle ne savait pas nager. Il la regarda, et elle ne baissa pas les yeux.

Puis il se redressa dans un mouvement

gauche et violent, il cherchait à retrouver l'équilibre, comme s'il avait perdu pied sous le coup d'une gifle, comme si elle venait de lui arracher brutalement ce sur quoi il s'appuyait sans le savoir et qu'il découvrait soudain, au moment même où elle le lui retirait, et il lui jeta un regard plein de haine. C'était donc pour rien qu'elle avait vécu toutes ces années dans cette exigence invulnérable, cette pureté qui semblait inaltérable, cette force dure qui lui étaient étrangères, étrangères et cependant précieuses, tout cela d'elle qu'il aurait voulu garder avec lui, emporter avec lui : « Même ça ! » dit-il. Et dans sa voix aussi, il y avait de la haine. Et il répéta : « Même ça ! »

Il range ses affaires lentement et comme à regret. Et pourtant, cette fois, tout va plus vite qu'elle ne désire. Le temps se hâte, va vite, à une vitesse d'enfer. C'est comme l'amour. Cette hâte lente, ce désir violent, frénétique d'aller vite, d'en être sorti, de l'avoir dépassé, et à la fois ce besoin fatal, vital de retenir, de contenir l'instant qui se dérobe, qui fuit et se perd, la rage furieuse de le consumer et d'en avoir raison, la terreur panique qu'il ne s'arrête. Cette hâte et cette lenteur, c'est comme la mort, pense-t-elle.

Ce fut dans cet espace de temps que Serge mettait à faire sa valise, que tout bascula. Cet espace de temps à la fois étroit et immense, où tout était encore possible, où tout pouvait encore reprendre sa place. Tout chavira autour d'elle. Elle fut dans l'impossibilité de vivre cet instant. Il lui semblait plus facile de mourir. Tout plutôt que de vivre cela qui était en train de se faire, cette chose absurde et cependant nécessaire, inévitable et remédiable, remédiable et cependant irrémédiable. Se sauver devant ce vertige, devant ce qui était déjà puisqu'il se faisait, ce qui n'était pas puisqu'elle pouvait l'arrêter, remettre les chaussettes et les chemises de

Serge dans l'armoire, comme si rien ne s'était passé.

Elle s'efforça de compter les carreaux bleu et noir de la valise, mais ils dansaient et se brouillaient ; elle voulut alors courir vers Serge, l'arrêter ; ses jambes ne la portaient plus, et elle se laissa tomber dans le fauteuil.

— Je sais, dit-elle dans un gémissement.

— Tu as mal ? demanda Serge avec tendresse.

Il y eut un silence, puis elle répondit d'une voix lasse :

— Non, tout se passera bien.

Alors, les mains croisées sur les genoux, elle se balance de droite à gauche en un rythme lent, comme pour calmer ce mouvement fou qui est là, au-dedans, et qu'il n'y a aucun moyen d'arrêter, qu'il faut y céder, le suivre et non vouloir le contrarier, et elle se répète : C'est et à la fois ce n'est pas ce n'est pas encore puisque Serge est encore là et que tant qu'il est là ce n'est pas.

Puis, brusquement, elle s'arrête :

— Attends un peu... Je ne savais pas... Plus tard... Dans quelques jours... Ce soir... Ce soir, tu veux, ce soir...

En réalité, elle n'a rien dit. Elle est là, la bouche ouverte, les yeux fixes, avec ces cris en elle qui ne sortent pas, ces larmes qui ne sortent pas, accrochée tout entière à une vignette d'hôtel démesurée, immense, prenant toute la place, prenant tout, emportée, emportée dans le feu de joie de ce voyage, dans le tourbillonnement sans fin d'une valse folle et déjà désespérée, dans la rumeur échevelée des promesses et de la foi donnée plantées au mât de la vie avec de grands bouquets de roses, dans les couleurs pleines de miroirs où se reflétait son visage, dans les parfums ensoleillés qui faisaient fuser l'espérance, puis plus rien, plus rien que le bruit effrayant de bouchons de champagne qui sautent et le tumulte assourdissant d'une rengaine hurlée à tue-tête qui emplit toute la pièce :

J'ai besoin de vous
Toujours et partout...

Et brusquement, brutalement, dans le mouvement sec d'un drain qu'on arrache, tout se retire d'elle, la laissant là, dans l'immobilité de la mort, dans le silence absurde, impuissant et hostile de la mort.

Ils sont là, debout l'un devant l'autre. Dépendant l'un de l'autre et s'abandonnant.

Collée au mur, elle a ce regard posé, tranquille, sans pitié ni douceur, un regard vide qu'il ne lui connaît pas. Et le calme terrible qui vient, lorsqu'on a chassé l'espoir pour toujours. Quand rien ni personne ne peut plus faire souffrir.

— Si tu veux, Manuela...

Attachée à lui par mille blessures, séparée de lui par cette matinée qu'elle ne veut pas revivre, cette matinée plus large que la mer, sans crainte de le perdre, par aucun chemin ne voulant plus le rejoindre, sans plus de désir d'avoir avec lui le même temps, le même langage et la même foi, elle ne ressent plus qu'une extrême lassitude. Comme après une longue marche, quand on rentre chez soi et que la fatigue est là.

Serge se penche, met sa main sur le bras de Manuela. Il est comme les femmes, il n'aime pas les départs. Et elle qui le connaît mieux qu'il ne se connaît lui-même, elle sait qu'il se sent seul.

— Si tu veux, nous pourrions essayer, vivre...

— Non, ne dis rien, répond-elle sans violence.

Il parle de ce dimanche où ils se sont connus. Un dimanche semblable à celui-ci, aussi calme. Et déjà, déjà il contenait la peur, la peur que ne vînt le détachement, la solitude avant que rien ne les ait annoncés, avant d'être prête à les recevoir. Et le besoin terrible d'autre chose, de quelque chose qui n'aurait pas été un geste, qui n'aurait pas été un mot pour que ne se creusât pas la distance, pour ne pas se retrouver seule près de lui. Même si Serge avait été un autre, pense-t-elle, il y aurait toujours eu un au-delà sans mesure impossible à combler...

Et elle se souvient et écoute, et regarde au delà de ce jour, le jour d'autrefois, ces deux jours ensemble confondus dans la même indifférence à être et à n'être pas, l'un et l'autre gratuits, absurdes et cependant nécessaires, le début et la fin, aussi étrangers en apparence, aussi intimes, aussi essentiels l'un que l'autre, ensemble reliés par son besoin irrésistible d'accorder ce qui est en train de s'achever et qui se produit sans raison à ce qui a commencé et qui s'était produit sans raison, dans son désir de permanence, dans sa volonté toujours la même de rejoindre le sens, la pente, de s'enfoncer dans le temps pour retrouver le lien perdu, pour se retrouver.

Cette entente nouvelle et immédiate avec le jour, quand tout en soi s'éveille et s'accorde en cadence, cette présence ajustée à la mesure du rêve, irréductible à quoi que ce soit, nouvelle mais reconnue, familière et imprévue, mobile, fragile et cependant permanente, est-ce la première rencontre dont le cœur se souvient ou l'écho très ancien d'un accord d'autrefois, il y a si longtemps, l'enfance ?

Quand plus rien n'était là, plus rien de ce à quoi elle était attachée et dont elle aurait pu se souvenir, plus rien de ce qu'elle avait su, ne cherchant plus à comprendre, n'ayant plus besoin de comprendre, comprenant tout et ne comprenant plus rien, quand plus rien n'était là et que tout était là en une flamme unique et jaillissante où l'espoir et le désespoir, l'amitié, la haine, le présent, le passé, la joie et la souffrance étaient une même chose, cette même force brutale arrachant tout du tout, violant, brisant, répétant la naissance et révélant la mort, est-ce la chair qui se souvient de la première étreinte ou l'écho très ancien d'un impossible rêve ?

Ce jour d'autrefois, calme, sans que rien ait laissé prévoir à l'âme attentive et qui ne sollicitait rien, qu'enfin déliée d'on ne savait quelle entrave, étale et ronde, n'étant plus pendant un court moment ni au delà ni en deçà, elle connaîtrait la certitude pour être à jamais ligotée, prise dans le flux et le reflux de quelqu'un d'autre que Dieu qui déciderait de sa mesure et de son temps, emprisonnée, assoiffée pour toujours.

— Dis-moi quelque chose, Manuela...

Sa voix a un accent de détresse sincère,

profonde. Il voudrait lui demander pourquoi elle n'essaie pas, comme d'habitude, de sauver quelque chose, de le sauver. Pourquoi elle le laisse partir sans crier : Tu ne peux pas faire cela. Tu ne peux pas. Pourquoi elle l'abandonne.

— Je voudrais savoir, dit Serge...

Ce sont là exactement ces mots à elle. Elle le regarde sans bouger, paraissant écouter attentivement, paraissant frémir encore une fois. Dans le déchirement de ce qui avait été pour la première fois, dans le déchirement de ce qui jamais plus ne pourrait être de nouveau. Peut-être une dernière fois est-elle à la recherche frénétique, impossible, de rejoindre l'autre pour jaillir, éclater et se perdre.

— Ecoute, Manuela... Si tu veux...

Elle garde un moment la main de Serge cramponnée à son bras, paraissant écouter attentivement, puis elle se dégage et le pousse vers la porte dans un dernier mouvement fait de rage et de désespoir, d'impuissance et de force, de fermeté et de lassitude, et sans cette violence, il pourrait facilement croire que ce matin, elle l'abandonne.

— Fais vite, dit-elle de cette voix tendue, à la fois sauvage et tendre qui lui était particulière, comme si ce qu'allait faire Serge ne devait pas la faire souffrir, mais la libérer. Fais vite, répète-t-elle de cette voix qu'il reconnaît.

Il va vers la porte et puis il se retourne, et déjà il sait qu'il la verra longtemps ainsi, qu'il la verra toujours ainsi, sans larmes, les yeux fixes, des yeux qui crèvent la toile du visage. Poupée mexicaine. Masque de mort.

Elle entend son pas dans l'entrée, le bruit de la porte. Puis son pas dans l'escalier. Plus rien.

Seule comme un arbre, devant la file des jours sans nombre où tout se perd et où le pas de Serge résonnera longtemps encore, comme la mer au fond d'un coquillage.

UN PAS D'HOMME

Tous ces jours à venir, encore à venir. Les matins secrets que rien n'habitera et la nuit viendra, la nuit passera. L'écho de son pas d'homme se heurte aux meubles, s'attarde à la cheminée. Jour après jour, vides, l'un ressemblant à l'autre. Le jour, de nouveau la nuit. Et personne ne viendra. Le ciel tout bleu sur la cour. L'été. Le bruit de la mer. Sur la route, des couples, la main dans la main. Il y a tant de couples de par le monde. Ces jours encore à venir. Encore à vivre. Et alors, elle se met à pleurer. Une vie, c'est si long.

Et si court.

Tout est pensé [illegible] encore à copier [illegible] [illegible] que pas d'habitude et la [illegible] [illegible] la nuit passe [illegible] de [illegible] d'homme à [illegible] aux [illegible] s'agiter à la [illegible] jour après jour, vides, l'un ressemblant à l'autre. Le jour de noir que la [illegible] ne viendra, le ciel tou- bleu sur la cour. L'été, le bruit de la [illegible] sur la route, des couples, la main dans la main, il y a tant de couples de par le monde. Ces jours encore à venir. Encore à vivre. Et alors, elle se mettra pleurer. Une vie, c'est si long.

IMP. BUSSIÈRE A SAINT-AMAND (CHER).
D. L. 3e TRIM. 1980. No 5614 (1300).

Collection Points

SÉRIE ROMAN

R1. Le Tambour, *par Günter Grass*
R2. Le Dernier des Justes, *par André Schwarz-Bart*
R3. Le Guépard, *par G. T. di Lampedusa*
R4. La Côte sauvage, *par Jean-René Huguenin*
R5. Acid Test, *par Tom Wolf*
R6. Je vivrai l'amour des autres, *par Jean Cayrol*
R7. Les Cahiers de Malte Laurids Brigge,
par Rainer Maria Rilke
R8. Moha le fou, Moha le sage, *par Tahar Ben Jelloun*
R9. L'Horloger du Cherche-Midi, *par Luc Estang*
R10. Le Baron perché, *par Italo Calvino*
R11. Les Bienheureux de La Désolation, *par Hervé Bazin*
R12. Salut Galarneau !, *par Jacques Godbout*
R13. Cela s'appelle l'aurore, *par Emmanuel Roblès*
R14. Les Désarrois de l'élève Törless, *par Robert Musil*
R15. Pluie et Vent sur Télumée Miracle,
par Simone Schwarz-Bart
R16. La Traque, *par Herbert Lieberman*
R17. L'Imprécateur, *par René-Victor Pilhes*
R18. Cent Ans de solitude, *par Gabriel Garcia Marquez*
R19. Moi d'abord, *par Katherine Pancol*
R20. Un jour, *par Maurice Genevoix*
R21. Un pas d'homme, *par Marie Susini*
R22. La Grimace, *par Heinrich Böll*

Collection Points

1. Histoire du surréalisme, *par Maurice Nadeau*
2. Une théorie scientifique de la culture, *par Bronislaw Malinowski*
3. Malraux, Camus, Sartre, Bernanos, *par Emmanuel Mounier*
4. L'Homme unidimensionnel, *par Herbert Marcuse* (épuisé)
5. Écrits I, *par Jacques Lacan*
6. Le Phénomène humain, *par Pierre Teilhard de Chardin*
7. Les Cols blancs, *par C. Wright Mills*
8. Stendhal, Flaubert, *par Jean-Pierre Richard*
9. La Nature dé-naturée, *par Jean Dorst*
10. Mythologies, *par Roland Barthes*
11. Le Nouveau Théâtre américain, *par Franck Jotterand*
12. Morphologie du conte, *par Vladimir Propp*
13. L'Action sociale, *par Guy Rocher*
14. L'Organisation sociale, *par Guy Rocher*
15. Le Changement social, *par Guy Rocher*
16. Les Étapes de la croissance économique, *par W. W. Rostow*
17. Essais de linguistique générale, *par Roman Jakobson* (épuisé)
18. La Philosophie critique de l'histoire, *par Raymond Aron*
19. Essais de sociologie, *par Marcel Mauss*
20. La Part maudite, *par Georges Bataille* (épuisé)
21. Écrits II, *par Jacques Lacan*
22. Éros et Civilisation, *par Herbert Marcuse* (épuisé)
23. Histoire du roman français depuis 1918,
    par Claude-Edmonde Magny
24. L'Écriture et l'Expérience des limites, *par Philippe Sollers*
25. La Charte d'Athènes, *par Le Corbusier*
26. Peau noire, Masques blancs, *par Frantz Fanon*
27. Anthropologie, *par Edward Sapir*
28. Le Phénomène bureaucratique, *par Michel Crozier*
29. Vers une civilisation du loisir ?, *par Joffre Dumazedier*
30. Pour une bibliothèque scientifique, *par François Russo* (épuisé)
31. Lecture de Brecht, *par Bernard Dort*
32. Ville et Révolution, *par Anatole Kopp*
33. Mise en scène de Phèdre, *par Jean-Louis Barrault*
34. Les Stars, *par Edgar Morin*
35. Le Degré zéro de l'écriture, *suivi de* Nouveaux Essais critiques
    par Roland Barthes
36. Libérer l'avenir, *par Ivan Illich*
37. Structure et Fonction dans la société primitive
    par A. R. Radcliffe-Brown
38. Les Droits de l'écrivain, *par Alexandre Soljénitsyne*

39. Le Retour du tragique, *par Jean-Marie Domenach*
41. La Concurrence capitaliste
par Jean Cartell et P.-Y. Cossé (épuisé)
42. Mise en scène d'Othello, *par Constantin Stanislavski*
43. Le Hasard et la Nécessité, *par Jacques Monod*
44. Le Structuralisme en linguistique, *par Oswald Ducrot*
45. Le Structuralisme : Poétique, *par Tzvetan Todorov*
46. Le Structuralisme en anthropologie, *par Dan Sperber*
47. Le Structuralisme en psychanalyse, *par Moustafa Safouan*
48. Le Structuralisme : Philosophie, *par François Wahl*
49. Le Cas Dominique, *par Françoise Dolto*
51. Trois Essais sur le comportement animal et humain *par K. Lorenz*
52. Le Droit à la ville, *suivi de* Espace et Politique, *par H. Lefebvre*
53. Poèmes, *par Léopold Sédar Senghor*
54. Les Élégies de Duino, *suivi de* les Sonnets à Orphée
par Rainer Maria Rilke (édition bilingue)
55. Pour la sociologie, *par Alain Touraine*
56. Traité du caractère, *par Emmanuel Mounier*
57. L'Enfant, sa « maladie » et les autres, *par Maud Mannoni*
58. Langage et Connaissance, *par Adam Schaff*
59. Une saison au Congo, *par Aimé Césaire*
60. Une tempête, *par Aimé Césaire*
61. Psychanalyser, *par Serge Leclaire*
62. Le Budget de l'État, *par Jean Rivoli*
63. Mort de la famille, *par David Cooper*
64. A quoi sert la Bourse ?, *par Jean-Claude Leconte*
65. La Convivialité, *par Ivan Illich*
66. L'Idéologie structuraliste, *par Henri Lefebvre*
67. La Vérité des prix, *par Hubert Levy-Lambert* (épuisé)
68. Pour Gramsci, *par Maria-Antonietta Macciocchi*
69. Psychanalyse et Pédiatrie, *par Françoise Dolto*
70. S/Z, *par Roland Barthes*
71. Poésie et Profondeur, *par Jean-Pierre Richard*
72. Le Sauvage et l'Ordinateur, *par Jean-Marie Domenach*
73. Introduction à la littérature fantastique, *par Tzvetan Todorov*
74. Figures I, *par Gérard Genette*
75. Dix Grandes Notions de la sociologie, *par Jean Cazeneuve*
76. Mary Barnes, un voyage à travers la folie
par Mary Barnes et Joseph Berke
77. L'Homme et la Mort, *par Edgar Morin*
78. Poétique du récit, *par Roland Barthes, Wayne Booth*
Wolfgang Kayser et Philippe Hamon
79. Les Libérateurs de l'amour, *par Alexandrian*
80. Le Macroscope, *par Joël de Rosnay*

81. Délivrance, *par Maurice Clavel et Philippe Sollers*
82. Système de la peinture, *par Marcelin Pleynet*
83. Pour comprendre les média, *par M. Mc Luhan*
84. L'Invasion pharmaceutique, *par J.-P. Dupuy/S. Karsenty*
85. Huit Questions de poétique, *par Roman Jakobson*
86. Lectures du désir, *par Raymond Jean*
87. Le Traître, *par André Gorz*
88. Psychiatrie et Anti-Psychiatrie, *par David Cooper*
89. La Dimension cachée, *par Edward T. Hall*
90. Les Vivants et la Mort, *par Jean Ziegler*
91. L'Unité de l'homme, *par le Centre Royaumont*
    1. Le primate et l'homme, *par E. Morin et M. Piattelli-Palmarini*
92. L'Unité de l'homme, *par le Centre Royaumont*
    2. Le cerveau humain, *par E. Morin et M. Piattelli-Palmarini*
93. L'Unité de l'homme, *par le Centre Royaumont*
    3. Pour une anthropologie fondamentale
    par E. Morin et M. Piattelli-Palmarini
94. Pensées, *par Blaise Pascal*
95. L'Exil intérieur, *par Roland Jaccard*
96. Semeiotiké, recherches pour une sémanalyse, *par Julia Kristeva*
97. Sur Racine, *par Roland Barthes*
98. Structures syntaxiques, *par Noam Chomsky*
99. Le Psychiatre, son « fou » et la psychanalyse, *par Maud Mannoni*
100. L'Écriture et la Différence, *par Jacques Derrida*
101. Le Pouvoir africain, *par Jean Ziegler*
102. Une logique de la communication
    par P. Watzlawick, J. Helmick Beavin, Don D. Jackson
103. Sémantique de la poésie, *collectif*
104. De la France, *par Maria-Antonietta Macciocchi*
105. Small is beautiful, *par E. F. Schumacher*
106. Figures II, *par Gérard Genette*
107. L'Œuvre ouverte, *par Umberto Eco*
108. L'Urbanisme, *par Françoise Choay*
109. Le Paradigme perdu, *par Edgar Morin*
110. Dictionnaire encyclopédique des sciences du langage,
    par Oswald Ducrot et Tzvetan Todorov
111. L'Évangile au risque de la psychanalyse,
    par Françoise Dolto
112. Un enfant dans l'asile, *par Jean Sandretto*
113. Recherche de Proust, *collectif*
114. La Question homosexuelle, *par Marc Oraison*
115. De la psychose paranoïaque dans ses rapports
    avec la personnalité, *par Jacques Lacan*
116. Sade, Fourier, Loyola, *par Roland Barthes*

117. Une société sans école, *par Ivan Illich*
118. Mauvaises pensées d'un travailleur social, *par J. M. Geng*
119. Albert Camus, *par Herbert R. Lottman*

Collection Points

SÉRIE ACTUELS

A1. Lettres de prison, *par Gabrielle Russier*
A2. J'étais un drogué, *par Guy Champagne*
A3. Les Dossiers noirs de la police française, *par Denis Langlois*
A4. Do It, *par Jerry Rubin*
A5. Les Industriels de la fraude fiscale, *par Jean Cosson*
A6. Entretiens avec Allende, *par Régis Debray*
A7. De la Chine, *par Maria-Antonietta Macciocchi*
A8. Après la drogue, *par Guy Champagne*
A9. Les Grandes Manœuvres de l'opium *par Catherine Lamour et Michel Lamberti*
A10. Les Dossiers noirs de la justice française, *par Denis Langlois*
A11. Le Dossier confidentiel de l'euthanasie *par Igor Barrère et Étienne Lalou*
A12. Discours américains, *par Alexandre Soljénitsyne*
A13. Les Exclus, *par René Lenoir*
A14. Souvenirs obscurs d'un Juif polonais né en France, *par Pierre Goldman*
A15. Le Mandarin aux pieds nus, *par Alexandre Minkowski*
A16. Une Suisse au-dessus de tout soupçon, *par Jean Ziegler*
A17. La Fabrication des mâles *par Georges Falconnet et Nadine Lefaucheur*
A18. Rock babies, *par Raoul Hoffmann et Jean-Marie Leduc*
A19. La nostalgie n'est plus ce qu'elle était, *par Simone Signoret*
A20. L'Allergie au travail, *par Jean Rousselet*
A21. Deuxième Retour de Chine *par Claudie et Jacques Broyelle et Evelyne Tschirhart*
A22. Je suis comme une truie qui doute, *par Claude Duneton*
A23. Travailler deux heures par jour, *par Adret*
A24. Le rugby, c'est un monde, *par Jean Lacouture*